FEMINISMOS DISSIDENTES

FEMINISMOS DISSIDENTES

PERSPECTIVAS INTERSECCIONAIS

ORGANIZADORES
HENRIQUE MARQUES SAMYN
LINA ARAO

jandaíra

Copyright © Henrique Marques Samyn e Lina Arao, 2021

Todos os direitos reservados à Editora Jandaíra, uma marca da Pólen Produção Editorial Ldta., e protegidos pela Lei 9.610, de 19.2.1998. É proibida a reprodução total ou parcial sem a expressa anuência da editora.

Este livro foi revisado segundo o Novo Acordo Ortográfico da Língua Portuguesa.

DIREÇÃO EDITORIAL
Lizandra Magon de Almeida

COORDENAÇÃO EDITORIAL
Fernanda Marão

PREPARAÇÃO DE TEXTO
Bibiana Leme

REVISÃO
Lindsay Viola

CAPA E PROJETO GRÁFICO
Alberto Mateus

IMAGEM DA CAPA
Colagem de Andrea Cals

DIAGRAMAÇÃO
Crayon Editorial

Maria Helena Ferreira Xavier da Silva/ Bibliotecária - CRB-7/5688

F329	Feminismos dissidentes : perspectivas interseccionais / organização [de] Henrique Marques Samyn , Lina Arao. - São Paulo : Jandaíra, 2021.
	240 p. ; 23 cm.
	ISBN: 978-65-87113-44-9
	1. Feminismo. 2. Sexo - Psicologia. 3. Identidade de gênero. 4. Mulheres - Aspectos sociólogicos. 5. Violência contra as mulheres. I. Samyn, Henrique Marques, org. II. Arao, Lina, org. III. Título.
	CDD 305.42

jandaíra
www.editorajandaira.com.br
atendimento@editorajandaira.com.br
(11) 3062-7909

Sumário

Nota introdutória
Henrique Marques Samyn e Lina Arao 7

Ventres amestrados: problematizando
a objetificação/sexualização das mulheres negras
Ana Paula da Silva 11

A *mestiza* existe? A América despedaçada e miscigenada,
de Glória Anzaldúa a Lélia Gonzalez
Yasmim Pereira Yonekura 27

Entre Japão e Brasil: alguns apontamentos acerca
de *Sob dois horizontes*, de Mitsuko Kawai
Lina Arao 49

Da diáspora chinesa: uma história sino-carioca
Yonghui Q. 65

Feminismos e BDSM: racializando o debate
Raquel Basilone Ribeiro de Ávila   83

Romanipen nas margens: o triângulo marrom, diáspora
e a movimentação de mulheres romani
Sara Macêdo   101

Gordofobia, gênero, classe, raça, sexualidade:
uma questão de saúde
Vanessa Figueiredo Lima   117

Quase mulheres, quase feministas
Sofia Favero e Marine Marini   129

O martírio da maternidade: reprodução e sexualidade
a partir de uma perspectiva interseccional
Camila Fernandes   143

Feminismo e trabalho sexual
Bárbara V.   157

Lésbicas, prostitutas, travestis e transexuais:
uma aliança necessária
Heloisa Melino   173

Subjetivações de raça e gênero a partir
de fragmentos de memória
Amana Rocha Mattos   195

Entre discursos e práticas: a branquitude nos movimentos
feministas e o papel das pessoas brancas na luta antirracista
Geórgia Grube Marcinik   205

Sobre masculinidade negra e violência sexual
Henrique Marques Samyn   221

Henrique Marques Samyn
Lina Arao

Nota introdutória

ESTE LIVRO NASCEU DE um curso oferecido em 2020, no programa de pós-graduação *stricto sensu* em Letras da Universidade do Estado do Rio de Janeiro (UERJ), sob a responsabilidade de Henrique Marques Samyn. Intitulado "Feminismos dissidentes: perspectivas interseccionais", o curso foi proposto a partir da seguinte ementa: "Que efeitos os questionamentos derivados de perspectivações não hegemônicas têm tido sobre os fundamentos teóricos e epistemológicos feministas? De que modo interpelações informadas por aportes críticos a respeito de raça, gênero e classe, em particular, vêm propondo práticas e discursos que contemplam subjetividades e corpos anteriormente excluídos do(s) feminismo(s)? Como expressões sexuais divergentes podem tensionar dispositivos de generificação? Que traduções esses embates têm encontrado em obras literárias?". Planejado, a princípio, sob a forma de aulas presenciais majoritariamente ministradas por pesquisadoras, professoras e ativistas convidadas, o curso precisou ser reestruturado em função da pandemia de Covid-19 – que determinou, a princípio, a suspensão das aulas na UERJ e, a partir de meados de 2020, a retomada dos cursos em regime remoto. Essa reestruturação teve algumas consequências importantes: se, por um lado, impossibilitou a participação de algumas das professoras convidadas inicialmente, por outro, em sua versão virtual propiciou a presença de outras, não residentes no Rio de Janeiro.

A ideia de transformar o curso em um livro foi elaborada conjuntamente pelo docente responsável pela disciplina e pela professora e pesquisadora Lina Arao, e prontamente acolhida pela editora Lizandra Magon de Almeida. Foram convidadas a contribuir com capítulos todas as docentes que participaram do curso, com textos redigidos a partir das aulas ministradas. O livro inclui também textos de docentes, professoras e militantes cujas experiências e temas de interesse guardam relação com a proposta do curso. Em seu formato final, o volume conta, ainda, com um ensaio redigido pelo professor responsável por construir a disciplina, não se apartando de sua perspectivação teórica e política.

Importa ressaltar que não é pretensão do livro, nem foi propósito do curso, abranger todas as expressões dissidentes no que tange ao feminismo – tarefa que, embora de indiscutível relevância, ultrapassa largamente o escopo aqui proposto; o que se pretende é tão somente coligir o pensamento de docentes, pesquisadoras e militantes que têm tomado raça e classe como fatores propiciadores de revisões epistemológicas e da desestabilização de perspectivas feministas hegemônicas.

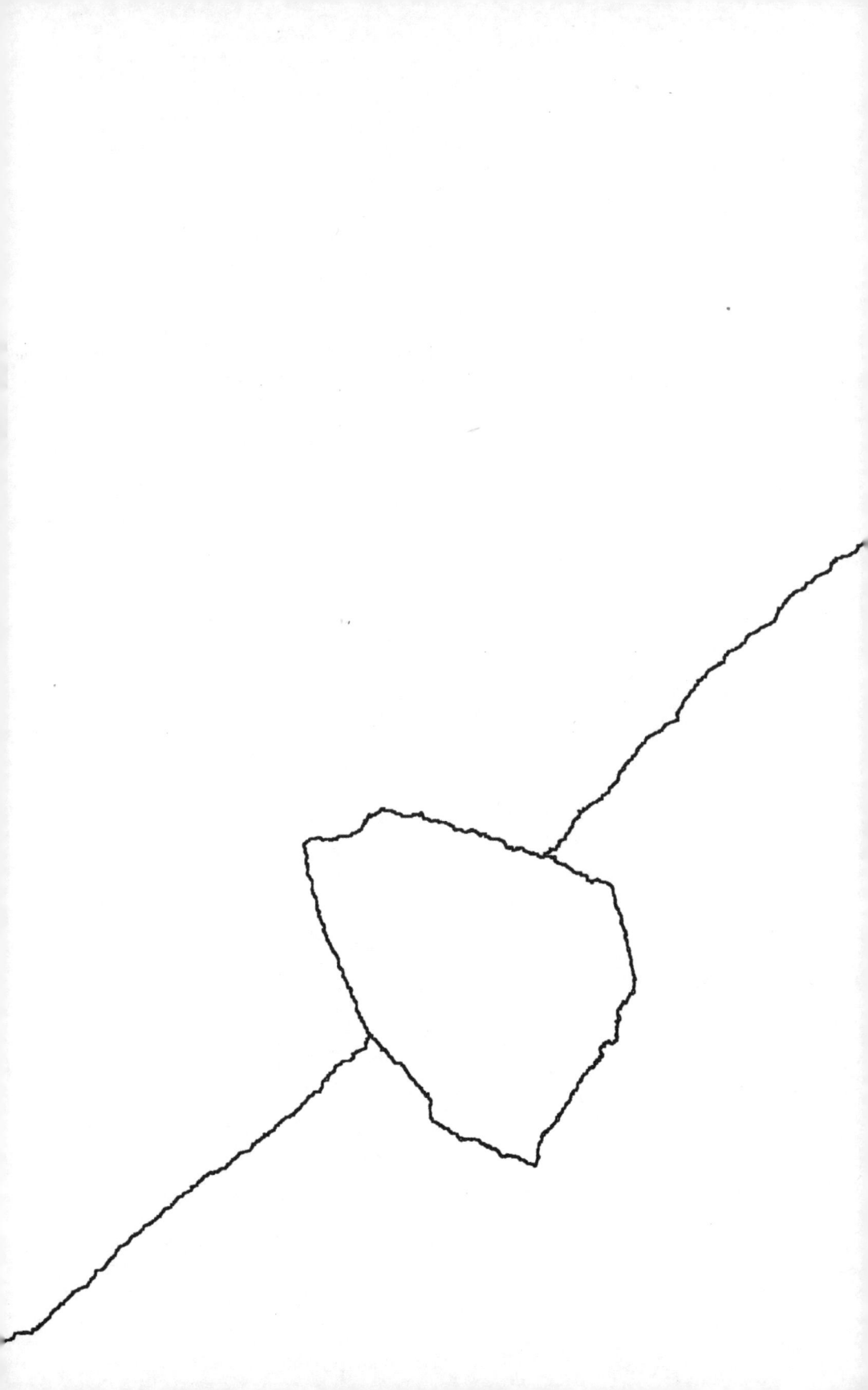

Ana Paula da Silva[1]

Ventres amestrados: problematizando a objetificação/sexualização das mulheres negras

Introdução

AO INICIAR ESTE ARTIGO, penso como é polêmico e difícil tratar sobre o tema da objetificação/sexualização das mulheres negras em muitos espaços. Já o tangenciei em alguns artigos e escrevi sobre ele de forma livre no portal Geledés. O objetivo aqui é expandir de modo mais sistematizado e acadêmico o argumento central do texto publicado no portal[2].

A principal ideia do texto era problematizar os temas da objetificação e da sexualização da mulher negra, partindo do princípio de que, se não houver cuidado com essas categorias, não são os estereótipos acerca do corpo da mulher negra que serão sistematicamente vigiados, controlados e até reprimidos,

---

1. Este trabalho contou com a colaboração do prof. dr. Thaddeus Blanchette.
2. SILVA, Ana Paula da. "A hipersexualização da mulher negra e a política de respeitabilidade". *Portal Geledés*. Disponível em: https://www.geledes.org.br/hipersexualizacao-da-mulher-negra-e-politica-da-respeitabilidade/. Acesso em: 12 out. 2020.

mas a própria sexualidade dessas mulheres. O artigo foi inicialmente escrito para um blog e, posteriormente, publicado num espaço de maior circulação, em 2014, no auge da euforia e dos protestos contra a realização dos megaeventos no Brasil (Copa do Mundo Fifa de 2014, Jogos Olímpicos Rio 2016). Um dos grandes debates na época era o do pânico moral em torno do turismo sexual e do tráfico internacional de mulheres, temidos pelas agências internacionais de notícias, pelo Estado e pela sociedade civil.

Naquele momento, tais temas foram abordados pelo ponto de vista da hipersexualização das mulheres negras, em função da grande entrada de turistas masculinos estrangeiros, o que, supostamente, aumentaria o desejo desses homens por essas mulheres. Nesse sentido, a ideia foi argumentar sobre o que é, de fato, visto como perigoso e ameaçador. Após seis anos da publicação, entendo que o argumento ainda é válido.

A ameaça maior para vários setores da sociedade, inclusive parcelas dos movimentos feministas e negros, é a sexualidade ativa da mulher negra. No caso de parcela dos movimentos sociais, existe uma política da respeitabilidade[3] em torno da sexualidade das negras e não brancas que trata as noções de "hipersexualização" e "objetificação" como questões individuais; *grosso modo*, acredita-se que, se as mulheres negras adotassem como padrão de comportamento determinada norma social, o corpo delas deixaria de ser "objetificado". Nesse sentido, transferem-se para o nível individual questões que são históricas, estruturais e de longa duração. Portanto, as categorias "hipersexualização" e "objetificação" do corpo da mulher negra não dão conta da complexidade do tema.

Não estou afirmando que não exista um imaginário sobre a tropicalização do Brasil e das brasileiras, particularmente das mulheres negras. Tal imaginário não tem relação com o

---

3. COLLINS, Patricia Hill. *Pensamento feminista negro*. Tradução Jamille Pinheiro Dias. São Paulo: Boitempo, 2019.

comportamento sexual das mulheres negras. Se elas são mais "atiradas e sensuais" ou mais "recatadas e que se dão ao respeito", tais atitudes são indiferentes à manutenção desses estereótipos. Aqui eu sustento que a sexualidade individual e própria da mulher negra não é o gatilho da sexualização de seu corpo, muito menos de sua objetificação. Essas categorias têm raízes profundas na história da construção da nação brasileira e no racismo oriundo de um país que traz marcas por ter sido o último a abolir a escravatura. Tais lógicas continuam produzindo a ideia de um país tropical com corpos lascivos e a pré-noção de que "não existe pecado abaixo do Equador". É preciso entender quais as narrativas intrínsecas a esses imaginários e de que modo seu entrelaçamento produz uma visão tanto interna quanto externa, a partir da história do Brasil, pelo olhar estrangeiro.

A intenção deste artigo é, portanto, repensar algumas dessas narrativas, como um ensaio amplificado, conjugando temas com que já trabalho e a reflexão sobre as categorias em questão. Como antropóloga, tenho trabalhado nos últimos anos nas áreas de gênero, raça e sexualidades, com foco em prostituição, turismo sexual e tráfico de pessoas. É desse lugar que desenvolvo meu argumento principal e observo, de forma preliminar, as armadilhas acerca das categorias "objetificação" e "hipersexualização" dos corpos negros/não brancos.

Revisitando as teorias racialistas da virada do século XIX

PARA NOS DEBRUÇARMOS SOBRE a objetificação e hipersexualização das mulheres negras de forma mais profunda, precisamos retomar as teorias racialistas da modernidade. Não se trata de reavivar o passado e argumentar que nada mudou e que todos os problemas são unicamente resultado de um passado escravocrata e racista. Trata-se, sim, de refletir sobre como tais teorias persistem pautadas na ideia de uma "estrutura de longa duração" que se reinventa e se recria sob aspectos novos, mas que, contudo, carregam elementos que significam continuidades. Segundo José Costa D'Assunção Barros:

> Conforme se vê, a perspectiva da "longa duração" deve vir acompanhada da percepção de que os ritmos dos diversos processos históricos não precisam necessariamente coincidir-se. O mundo agitado da política do dia a dia – ou, para dar um exemplo mais recente que Braudel não poderia ainda evocar em sua época, das inovações tecnológicas que se assomam desde as últimas décadas do século XX – pode contrastar com o ritmo lento das mentalidades, das relações mais amplas dos homens com o espaço geográfico e das mudanças estruturais na língua por meio das quais os indivíduos se comunicam.[4]

Nesse sentido, ao pensar essas estruturas nos cabe entender que as etapas históricas são variadas e, portanto, dão-se de forma particular, fazendo-nos refletir sobre diferentes aspectos da vida social e a forma como se articulam no cotidiano. Por essa razão, é importante retomarmos algumas narrativas do passado para refletir sobre como ainda produzem efeitos na vida social.

Quando voltamos às formulações racialistas e históricas sobre raça e gênero, cabe a pergunta: o que é ser uma mulher brasileira? Apesar de aparentemente simples, tal questionamento está imerso num complexo de significações e representações históricas, formado por contribuições de pensadores estrangeiros e brasileiros ao longo dos últimos 250 anos e estudado por muitos autores. Não cabe, aqui, remontar todas essas representações,

---

4. BARROS, José Costa D'Assunção. Os historiadores e o tempo: a contribuição dos Annales. *Cadernos de História*, v. 19, n. 30, p. 184-5. Disponível em: https://doi.org/10.5752/P.2237-8871.2018v19n30p182-210. Acesso em: 11 mar. 2021.

apenas dialogar com algumas ideias[5]. Tais representações sempre foram contextuais e circunscritas no tempo e no espaço, e a resposta a essa pergunta não foi a mesma em todos os momentos e lugares. Todavia, podemos vislumbrar alguns temas que aparecem com certa constância e que ainda são vivos.

Em geral, fala-se muito numa sexualidade exacerbada, livre e lasciva, apresentada em sua forma mais característica na personagem da "mulata", símbolo maior da brasilidade mestiça, que traz embutidas em sua imagem as contradições dos discursos raciais produzidos ao longo da história brasileira. A literatura, a arte e a pintura exaltam as qualidades dessa espécie (literalmente) de mulher, que seria a autêntica representação nacional.

Por outro lado, tanto intelectuais dos movimentos negros quanto parte da elite branca/mestiça pensante têm sistematicamente criticado e até mesmo demonizado a figura da mulata, que seria a raiz de toda a má fama das mulheres brasileiras mundo afora, responsável pela invisibilização de uma identidade negra – ou, pelo menos, de uma identidade negra não objetificada e fetichizada.

Dentro desse contexto de disputas, subentende-se que apenas o Brasil produziu essa representação. De fato, muitas das propagandas dos anos 1970, na época da ditadura militar, empregavam a figura da "mulata" como se ela fosse um produto genuinamente nacional. Se perguntarmos às pessoas, é bem capaz de, ainda hoje, muitos brasileiros, mesmo nos meios intelectuais, responderem que a mulata "verdadeira" só existe no Brasil. Nesse sentido, a mestiçagem ainda é sentida no país, em várias esferas da sociedade, como projeto nacional *sui generis*, que não pode ser encontrado em nenhum outro país.

---

5. Para aprofundar essas ideias, ver MOUTINHO, Laura. *Razão, "cor" e desejo: uma análise comparativa sobre relacionamentos afetivo-sexuais "inter-raciais" no Brasil e na África do Sul*. São Paulo: Editora Unesp, 2004; SILVA, Ana Paula da. As políticas de combate ao turismo sexual: uma análise interseccional entre raça, gênero e classe. *Praia Vermelha*, v. 22, p. 20-60, 2013.

É preciso lembrar que a história da mestiçagem (e a mulata, como resultado desse processo) nem sempre foi de aprovação. No final do século XIX e início do XX, as teorias racistas e racialistas referentes ao Brasil eram sexualizadas, muitas vezes focalizando especialmente os supostos efeitos nocivos que a miscigenação, em condições de licença sexual extrema, teriam sobre a constituição da "raça brasileira"[6]. Essa visão foi talvez mais claramente apresentada no influente *Retrato do Brasil: ensaio sobre a tristeza brasileira*, publicado em 1928 por Paulo Prado[7], advogado e historiador racialista que situava a luxúria como um dos fatores mais importantes na criação do caráter nacional brasileiro. De acordo com Prado, o contato primordial entre o europeu disciplinado e os "temperamentos ardentes, amoralidade dos costumes e falta de vergonha civilizada" do indígena, em meio à "volúpia tumescente da natureza virgem", causou um declínio abrupto na moralidade, criando uma "terra de todos os vícios e crimes", codificada no corpo do "tipo" brasileiro miscigenado, entendido por Prado como inerente e biologicamente vulnerável a todas as formas de vício moral e doença física.

À medida que o século XX avançava, leituras menos apocalípticas do "dilema racial" do Brasil vieram à tona; mantiveram, no entanto, a primazia da tríade mestiçagem-tropicalismo-luxúria como chave para decifrar o país. Esse entendimento foi mais famosamente apresentado na obra-prima de Gilberto Freyre, *Casa-grande & senzala*, talvez o texto brasileiro que mais tenha sido traduzido para outras línguas[8].

Freyre rejeitava o determinismo racista, mas reificou certo determinismo geográfico que também se centrava na mestiçagem como chave para a formação da sociedade e da cultura brasileiras. Além disso, a mestiçagem foi entendida por Freyre

---

6. SEYFERTH, Giralda. A antropologia e a teoria do branqueamento da raça no Brasil: a tese de João Batista de Lacerda. *Revista do Museu Paulista*, v. 30, p. 81-98, 1985.
7. PRADO, Paulo. *Retrato do Brasil*: ensaio sobre a tristeza brasileira. Org. Carlos Augusto Calil. 10. ed. São Paulo: Companhia das Letras, 2012.
8. FREYRE, Gilberto. *Casa-grande & senzala*. 42. ed. Rio de Janeiro: Record, 2001.

como exuberantemente sexual, estando cultural e historicamente presente no corpo das mulheres mestiças afro-brasileiras e nos hábitos dos homens portugueses, como se a sensualidade fosse uma doença venérea sociocultural.

Foi Freyre que consagrou a mulher mestiça brasileira – a mulata – como "marca registrada" essencial do caráter nacional, de natureza positiva. Nos anos que se seguiram à sua publicação, a obra de Freyre tornou-se a pedra fundamental para uma mitologia nacional de "democracia racial", em que o contato sexual/afetivo entre as raças supostamente eliminava o preconceito e o racismo. Essa ideologia brasileira internacionalizou-se no pós-Segunda Guerra e ainda é *au courant* entre muitos estrangeiros e brasileiros, especialmente quando se trata de explicar a sexualidade brasileira.

A sexualidade da mulher brasileira e as políticas de securitização nas fronteiras

DESDE MEADOS DOS ANOS 2000, tenho analisado as categorias "turismo sexual" e "tráfico de pessoas", bem como seus efeitos políticos concretos no gerenciamento e controle da sexualidade[9]. A seguir, a forma como um de meus interlocutores da minha pesquisa de campo em Copacabana, Rio de Janeiro, do sexo masculino, estrangeiro, apresentou o mito num site dedicado ao turismo sexual:

> Eu nunca vi um país com tantas garotas belíssimas, e eu viajo bastante. O Brasil foi colonizado por Portugal. No século XVI, os jesuítas converteram os brasileiros ao catolicismo. No entanto, os colonos tinham outras ideias e escravizaram e cruzaram com

---

9. SILVA, Ana Paula da. As políticas de combate ao turismo sexual: uma análise interseccional entre raça, gênero e classe, op. cit.; id., Caçadoras de gringos e comedoras de lótus: interseccionalidades em relacionamentos afetivo-sexuais entre brasileiras e estrangeiros nos Jogos Olímpicos de 2016. In: MELLO, Kátia Sento Sé; FARIAS, Patrícia Silveira (Org.). *Administração de conflitos, espaço público e sociabilidades urbanas em perspectiva comparada*. Rio de Janeiro: Autografia, 2020.

os nativos, trazendo até mais mão de obra barata da África. As mulheres também serviram para as outras necessidades dos colonos masculinos. Também, ao longo dos anos, as ondas de imigrantes da Itália, Alemanha, Portugal e Japão (principalmente em São Paulo) vieram para o Brasil. Misturados com estes são os negros trazidos da África e os índios nativos. Houve uma grande mistura racial genética que se combinou de um jeito para formar uma população bastante diversificada. O resultado é um espécime fêmea que é maravilhosa, deslumbrante e pseudoutópica [...]. Sexualmente falando, estas mulheres são inigualáveis. Estive com um bocado de mulheres de todo o mundo, mas nenhuma se compara com as mulheres brasileiras. Elas parecem amar o sexo. Nenhuma barreira.

Seria reconfortante acreditar que os sentimentos expostos acima por um interlocutor em nossa pesquisa sejam estritamente limitados aos turistas estrangeiros que classificam a si mesmos como turistas sexuais. Todavia, não são muito diferentes daqueles expressos por Freyre e Prado. Em roupagens mais aceitáveis socialmente, são repetidos em discussões sobre a sexualidade brasileira em todo o Brasil – e não somente por homens. Como Glaucia de Oliveira Assis[10] tem documentado, a imagem das mulheres brasileiras como amantes excepcionais é retrabalhada por imigrantes brasileiras solteiras que buscam cônjuges estadunidenses, fazendo uso desse e de outros estereótipos históricos, construídos no imaginário social transnacional, para se destacarem na disputa com outras mulheres originárias do Sul global.

É importante ressaltar, porém, que, apesar do discurso oficial da mestiçagem, as hierarquias de cor nunca foram eliminadas no Brasil. Elas continuam presentes no cotidiano

10. ASSIS, Gláucia de Oliveira. Entre dois lugares: as experiências afetivas de mulheres imigrantes brasileiras nos Estados Unidos. In: PISCITELLI, Adriana; ASSIS, Gláucia de Oliveira; OLIVAR, José Miguel Nieto (Org.). *Gênero, sexo, afetos e dinheiro:* mobilidades transnacionais envolvendo o Brasil. Campinas: Unicamp/Pagu, 2011. p. 321-62.

nacional e perpassam as instituições, promovendo desigualdades sociais e econômicas profundas. Ao mesmo tempo que o Brasil se apresenta ao mundo e a si mesmo como país mestiço, os brasileiros sabem que nem todo mestiço é igual. Esse fato é ilustrado por pesquisas que reportam que, enquanto 90% dos brasileiros consideram o país racista, só por volta de 2% se consideram racistas.

O momento em que brasileiros precisam cruzar as fronteiras nacionais é, de fato, um lugar privilegiado para o aparecimento desse paradoxo de um povo "mestiço-porém-nem-tanto-assim". É justamente nesse espaço que podemos confrontar as hierarquias de cor/raça instituídas no Brasil com a visão histórica e secular de que os brasileiros são todos mestiços genéricos e não brancos. Com o recrudescimento global da vigilância e do controle das fronteiras, nas quais a mobilidade segue sendo restringida em nome da proteção de seres humanos supostamente vulneráveis ao tráfico, as hierarquias de cor/raça não são lidas como no Brasil.

Cada vez mais, nas imigrações para a Europa e os Estados Unidos, o espectro da lascívia e da libertinagem inscrito na ideia da mestiçagem coloca em xeque a respeitabilidade das "boas" moças de família brasileiras em suas viagens internacionais. Ouvimos com frequência casos em que mulheres brasileiras brancas, burguesas e "respeitáveis" são paradas e interrogadas como se fossem "putas". Essa situação tem se tornado um escândalo no Brasil e, no contexto das discussões sobre políticas públicas referentes ao tráfico, fez com que reaparecessem, de maneira velada, os antigos estereótipos negativos e pré-freyreanos da mestiçagem.

É mister lembrar que a mestiçagem originalmente era entendida como um mal necessário, uma maneira de fazer a nação por meio de uma base populacional não branca. Essa visão foi codificada em políticas de Estado que promoveram o "branqueamento" do Brasil como pré-condição para a entrada do país nas fileiras das nações "civilizadas". Na variante brasileira do darwinismo social, a "raça" – entendida como um dos maiores problemas enfrentados pelo país – seria eliminada por meio do simples expediente da eliminação dos brasileiros negros e mulatos por meio da miscigenação. Podemos ver essa ideologia numa das obras artísticas mais "malditas" do Brasil: *Redenção de Cã*, de Modesto Brocos (Figura 1).

Figura 1. *Redenção de Cã*, 1895, óleo sobre tela, 199 × 166 cm, assinada M. Brocos Rio de janeiro 1895.
Coleção Museu Nacional de Belas Artes/Ibram/Ministério do Turismo.

Como a antropóloga Giralda Seyferth salienta, essas teorias de "branqueamento" foram sempre envoltas em certa ambiguidade, uma vez que viram na miscigenação tanto o mal que precisava ser eliminado como a solução para o "dilema racial" do país[11]. Esse paradoxo acabou criando a seguinte tese racializada: a mestiçagem precisava ser cuidadosamente canalizada e monitorada para que as "características atávicas da raça africana" pudessem ser purgadas do sangue nacional.

11. SEYFERTH, Giralda. A antropologia e a teoria do branqueamento da raça no Brasil: a tese de João Batista de Lacerda, op. cit.

Historicamente, é nesse pêndulo que a noção de mestiçagem é entendida no Brasil: ora exaltada, ora demonizada até mesmo pelos que a defendem. É justamente nesse contexto que se aciona outra visão bastante popular do "dilema brasileiro": o assim chamado "complexo de vira-latas", em que os atavismos e as incapacidades advindas da mistura de sangue precisam ser saneadas e higienizadas para que o Brasil possa se apresentar aos olhos do mundo "civilizado".

Quem são, então, os indivíduos autorizados a performar a brasilidade para olhos gringos no exterior? É importante ressaltar que nem sempre o passaporte foi um direito assegurado a qualquer cidadão brasileiro. Houve momentos na história em que esse documento era concedido somente a alguns, por uma série de marcadores acionados a fim de decidir quem o receberia ou não. Não raro, nos debates sobre tráfico de pessoas, encontramos autoridades que defendem a volta desse expediente no Brasil. Felizmente, ainda não chegamos a esse ponto. No entanto, não podendo restringir a emissão de passaportes, a política brasileira de imigração tenta desencorajar "tipos" entendidos como problemáticos de cruzarem as fronteiras.

A resposta brasileira às políticas antitráfico[12] foi tentar convencer parte significativa da população a ficar no país para o "seu próprio bem". Os cursos de capacitação antitráfico promovidos pelo Estado constantemente reiteram uma imagem da traficada entendida como típica: mulher, não branca, pobre, essencialmente infantilizada e que, viajando em busca de "um sonho de Cinderela", cai nas mãos de poderosas máfias estrangeiras e acaba como escrava sexual no exterior. Esses discursos têm subsidiado a vigilância, a estigmatização e a criminalização das trabalhadoras do sexo brasileiras (particularmente as de pele mais escura), apresentadas como vítimas

---

12. Para uma leitura crítica sobre as políticas de tráfico de pessoas, ver: BLANCHETTE, Thaddeus; SILVA, Ana Paula da. As rotas da PESTRAF: empreendedorismo moral e a invenção do tráfico de pessoas no Brasil. *Revista Ártemis*, v. 18, n. 1, 2014.

preferenciais das máfias de traficantes. Também ajudaram a fortalecer o conceito de turismo sexual como um crime tipificável pelo código penal, apesar de nunca ter vigorado como um delito. Um efeito colateral disso foi o recrudescimento do sistema de vigilância e controle sobre as mulheres brasileiras negras e não brancas que se relacionam afetiva e sexualmente com homens estrangeiros, particularmente europeus e estadunidenses. E o lugar e o momento nos quais esse sistema tende a aparecer, em todo seu vigor, é quando mulheres negras brasileiras atravessam as fronteiras.

Paradoxalmente, a resposta de parte dos movimentos sociais a esse processo foi acionar uma política de respeitabilidade. Algumas correntes dos movimentos feministas e negros, entre outros recortes sociais – e até o próprio Estado, por meio das campanhas de prevenção, por exemplo –, têm passado a combater veementemente as trabalhadoras sexuais, além de estigmatizar toda e qualquer mulher negra que ouse exercer de forma livre a sua sexualidade. Dessa forma, os comportamentos sexuais das mulheres – principalmente aquelas que historicamente foram entendidas como problemáticas – têm se transformado em critério por meio do qual a aceitabilidade do projeto de migração é julgada. Promove-se a ideia de que certas populações podem ser pedagogizadas para entender que não devem fazer viagens internacionais, a não ser que o façam com "dignidade" – "dignidade" aqui entendida como "as condições morais e financeiras de um membro da burguesia". O símbolo máximo brasileiro, a mulata, outrora considerada "produto nacional e de exportação", deve agora ser recolhida, saneada, higienizada e colocada em seu cantinho, longe dos olhos do mundo, para seu próprio bem.

Assim, paradoxalmente, as narrativas sobre as categorias "objetificação" e "hipersexualização", em vez de combaterem as visões históricas apresentadas aqui a partir de um debate sobre raça e sexualidade das mulheres brasileiras com base no recrudescimento das fronteiras e nas políticas de controle e repressão, têm sido acionadas como discursos de comportamento individualizantes, moralizando o que é "certo" ou "errado" na forma como mulheres negras e não brancas se posicionam para afastar os estigmas da hipersexualização e objetificação. Portanto, muitas das saídas são os discursos em torno da vigilância da sexualidade "naturalmente" exacerbada e lasciva, que necessita ser "amestrada" para a proteção dessas mulheres contra violências e explorações. Nesse momento, tais categorias tornam-se armadilhas para projetos de controle social, higienização e repressão conhecidos e efetivados ao longo de décadas mediante políticas de Estado contra os corpos entendidos como "indesejáveis".

Considerações finais

COMO DEMONSTRADO, A SEXUALIDADE das mulheres negras/não brancas foi historicamente construída como problemática. Em determinados momentos, é entendida como perigosa e poluidora, em outros, como vulnerabilizada e passível do perigo de abusos em função de estereótipos acerca dos corpos femininos brasileiros, discurso de que se valem as ações de combate ao tráfico e ao turismo sexual. O que fica evidente é que, tanto para "proteger" quanto para "criminalizar", os caminhos buscados são as narrativas de controle e repressão através da adoção de práticas individuais que implicam certa respeitabilidade que precisa ser seguida por essas mulheres.

As categorias "amor de verdade", "se dar ao respeito", "não transar com qualquer um", "não exibir seu corpo de maneira sensual" vão dando pistas de como o controle sobre esses corpos se coloca em oposição ao discurso dos movimentos feministas, pautado por muitas de suas vertentes, sobre a liberdade do corpo da mulher e o gerenciamento da sua própria sexualidade. No caso dessas mulheres, a histórica "racialização do sexo" as coloca em uma encruzilhada em que adotar as pautas feministas de liberdade do corpo significa, para alguns setores do Estado e parcelas dos movimentos sociais, uma forma de acionar os perigos e/ou vulnerabilidades diante das políticas de securitização.

Em sua tese de doutorado, Ana Paula Luna Sales[13] aborda as categorias "crimes sexuais", "tráfico de pessoas" e "exploração sexual" na praia de Iracema, no Ceará. Um dos aspectos relevantes do trabalho é o debate acerca das visões sobre o "amor" utilizadas como categoria moral da respeitabilidade pelos grupos evangelizadores engajados na luta antitráfico em Fortaleza. A ideia do amor era sempre entendida, por parte das missionárias, como uma espécie de "salvação" da vida tida como "promíscua" das mulheres que se associavam às trocas afetivo-sexuais vistas como comerciais. O "amor verdadeiro" implicava o acionamento de uma série de comportamentos e moralidades-padrão que se opunha claramente à liberdade de escolha e sexual.

> A linguagem do amor comunica moralidades prescindindo da ideia de consentimento e da sua negação pela vulnerabilidade [...]. A autonomia da vontade não é negada. Ao contrário, a vontade "errada" ou "descontrolada" vitimaria de maneiras específicas "gringos" e "nativas" porque destruiria o amor e abriria espaço para violência. Como propôs Sérgio Carrara [...], a "promiscuidade sexual" faz ponte entre a moral sexual cristã e o regime secular da sexualidade. [...] A linguagem do amor, já bastante difundida no contexto de Fortaleza, é acionada em projetos missionários para representar noções de "certo" e o "errado" nas economias sexuais transnacionais. Linda-Anne Rebhun [...] observou em pesquisa no Nordeste brasileiro que, diante de problemas sociais, mais que demandar direitos contratuais, as pessoas

---

13. LUNA SALES, Ana Paula. *Da violência ao amor*: economias sexuais entre "crimes" e "resgates" em Fortaleza. Tese (Doutorado em Ciências Sociais), Universidade Estadual de Campinas, Instituto de Filosofia e Ciências Humanas, 2018.

pediam "mais amor". Seria o amor que garantiria a solidariedade entre amigos e parentes em face à precariedade econômica e essas relações eram projetadas também na política: o amor traria a obrigação moral da justiça.¹⁴

Para as mulheres que se engajavam em trocas comerciais afetivo-sexuais, as moralidades acionadas com a categoria amor eram essas descritas pela autora. Tais ideias ficam mais explícitas quando olhamos para o marcador raça. Mulheres negras/não brancas, no sistema de hierarquização das raças, precisam recorrer a essa moralidade do amor para serem entendidas como respeitáveis e, portanto, para que seu corpo não seja "objetificado". O direito ao próprio corpo e o exercício da sexualidade estão sempre eivados dessas moralidades. Mas como distinguir entre o "amor verdadeiro" e o "falso amor" que objetifica e pode se transformar em exploração?

Essa não é uma pergunta fácil de ser respondida. Como descrevemos em outros artigos¹⁵, a noção do "amor verdadeiro" também depende das disposições hierárquicas de raça e classe. Encontrar o "amor verdadeiro" com homens estrangeiros pode ser lido, em muitos casos, como uma conveniência por parte da mulher ou como a exploração e fetichização de seu corpo "escuro". Nesse sentido, a mulher negra/não branca tem poucas saídas se não estiver disposta a ser "amestrada" e/ou "tutelada" por diversos setores da sociedade, incluindo o Estado, que decide sobre a autonomia de suas escolhas, não importando quais sejam elas, por essas mulheres serem tradicionalmente entendidas como problemáticas ou indesejadas.

---

14. Ibid., p. 332.
15. SILVA, Ana Paula da; BLANCHETTE, Thaddeus Gregory; BENTO, Andressa Raylane. Cinderella Deceived: Analysing a Brazilian Myth Regarding Trafficking in Persons. *Vibrant: Virtual Brazilian Anthropology*, v. 10, n. 2, 2014; SILVA, Ana Paula da. Caçadoras de gringos e comedoras de lótus: estudo sobre interseccionalidades em relacionamentos afetivo-sexuais entre brasileiras e estrangeiros, op. cit.

Yasmim Pereira Yonekura

A *mestiza* existe?
A América despedaçada e miscigenada, de Gloria Anzaldúa a Lélia Gonzalez

Filha da Amazônia: uma "nação *mestiza*"?

SOU UMA MULHER DE origens afro-indígenas, filha de um pai issei (homem japonês imigrante no Brasil) e uma mãe negra-cabocla, ela própria com traços muito misturados entre o africano e o indígena e filha de uma mulher negra retinta. Quando criança, aprendi que eu era mestiça, por ser filha da mistura entre amarelo, negro e indígena. Esse era um não lugar. Eu não era negra, mas não era japonesa; estava ali naquele limiar flutuante, onde nunca aprendi nada das origens do meu pai e tampouco ouvi minha mãe se identificar como negra. Negros, para meu "eu infantil", eram os outros, os de pele escura e pobres. Eu não podia ser negra, porque era alguma outra coisa. Mas essa alguma outra coisa e o nada eram muito parecidos.

O Brasil se constitui em um país latino-americano com uma peculiar miscigenação, ímpar em nível global. Os povos nativos indígenas aqui existentes foram entrelaçados, de forma forçada, ao colonizador. Houve, também, um grande contingente de pessoas africanas trazidas brutalmente pela escravidão. Além disso, o país recebeu fluxos globais significativos de imigrantes de outras partes do planeta, por exemplo, de diversos países da Ásia e do Leste Europeu.

A complexidade do tema e a falta de tino político para redefinir o debate social e acadêmico podem ser entendidas por meio de um artigo de Jean-François Véran chamado "'Nação Mestiça': as políticas étnico-raciais vistas da periferia de Manaus"[1]. O artigo relata o complexo movimento social amazônico Nação Mestiça, que tem um posicionamento político de apoio ao atual governo brasileiro de extrema direita de Jair Messias Bolsonaro e cujos membros se definem como contrários ao "negrismo" e ao "indigenismo", os quais seriam políticas dos grupos negros e indígenas contra a miscigenação. Ao mesmo tempo, o grupo faz trabalho social de base na periferia de Manaus e denuncia o racismo contra os povos indígenas e cidadãos da Amazônia. O artigo de Véran ajuda a entender a complexidade do Nação Mestiça e será o meu ponto de partida para debater a questão da miscigenação, a ressignificação política da formação da identidade brasileira e a união de duas pensadoras ameríndias (uma delas, negra) mestiças, Gloria Anzaldúa e Lélia Gonzalez. Duas teóricas e ativistas políticas que podem nos ajudar a compreender o panorama latino-americano pós-pandemia e a ressignificação do feminismo.

A primeira a ser abordada será Gloria Anzaldúa, escritora e teórica cultural nascida no Vale do Rio Grande, sul do Texas, em 1942, filha de uma mulher mexicana e de um homem branco estadunidense. Anzaldúa, que faleceu em maio de 2004, por complicações da diabetes, teve uma trajetória de ativismo político e teórico na academia e na sociedade estadunidenses, debatendo

---

1. VÉRAN, Jean-François. "Nação Mestiça": as políticas étnico-raciais vistas da periferia de Manaus. *Dilemas: Revista de Estudos de Conflito e Controle Social*, v. 3, n. 9, p. 21-60, 2010.

as identidades políticas *chicana*, lésbica e *queer*[2]. Em seguida, farei uma exposição da vida e obra de Lélia Gonzalez, também mestiça, nascida em Minas Gerais, filha de um homem negro e uma mulher indígena. Gonzalez, cujo ativismo político e teórico é ímpar na história do Brasil, foi uma das fundadoras do Movimento Negro Unificado (MNU), em 1978, e deixou um vasto legado intelectual e social sobre as questões de raça, classe e sexo na sociedade brasileira[3].

Gonzalez e Anzaldúa compartilham a realidade da mestiçagem: carregaram-na em seu corpo e em suas ações políticas, traduzindo essa existência fronteiriça em palavras e teoria, abrindo espaço para novos mundos e novas intelectualidades. São ancestrais para quem, como eu, também carrega em si existências múltiplas e busca construir novos mundos onde outras formas de viver sejam possíveis.

La conciencia de la mestiza: Anzaldúa e suas fronteiras

GLORIA ANZALDÚA PRODUZIU DE um lugar muito peculiar, de múltiplas fronteiras; a física, a espiritual e a psicológica[4]. A fronteira física foi a restritiva borda geopolítica entre o Texas, o sudeste estadunidense e o México. A fronteira espiritual manifestava-se na tentativa da autora de resgatar deuses e deusas cultuados pelos povos que habitavam o solo mexicano antes da invasão colonial de Colombo, selando a convivência com um sincretismo religioso surgido a partir do contato com o colonizador. A fronteira psicológica encontrava-se nas múltiplas identidades

---

2. COSTA, Claudia de Lima. Gloria Evangelina Anzaldúa. *Revista Estudos Feministas*, v. 12, n. 1, p. 13-4, 2004. Disponível em: https://doi.org/10.1590/S0104-026X2004000100002. Acesso em: 30 ago. 2020.
3. CARDOSO, Cláudia Pons. Amefricanizando o feminismo: o pensamento de Lélia Gonzalez. *Revista Estudos Feministas*, v. 22, n. 3, p. 965-86, 2014. Disponível em: https://doi.org/10.1590/S0104-026X2014000300015. Acesso em: 30 ago. 2020.
4. ANZALDÚA, Gloria. *Borderlands/La Frontera*: the New Mestiza. São Francisco: Spinsters/Aunt Lute Books, 1987. p. 3.

que Anzaldúa carregava: a de mulher mestiça[5] (questionando-se sobre o lado privilegiado – branco – e o lado oprimido – indígena e negro – da sua mestiçagem), a de mulher lésbica (criada num ambiente hostil à sua sexualidade) e a de mulher da classe trabalhadora que ascendeu socialmente e conseguiu acessar a academia e certo poder social nos Estados Unidos.

Sua subjetividade múltipla a fez buscar uma teoria que expressasse essas diferenças, como ela afirma no livro *Interviews/Entrevistas*[6], escrito por ela e editado por AnaLouise Keating:

> Comecei a pensar: "Sim, sou chicana, mas isso não é tudo que sou. Sim, sou mulher, mas não sou só isso. Sim, eu sou uma sapatão, mas isso não define tudo em mim. Sim, minhas origens estão na classe trabalhadora, mas não sou mais classe trabalhadora. Sim, venho de uma mestiçagem, mas que partes dessa mestiçagem são privilegiadas? Apenas os espanhóis, não os indígenas nem os negros". Comecei a pensar em termos de consciência *mestiza*. O que acontece com pessoas como eu, que estão entre todas essas diferentes categorias? O que isso faz com o conceito de alguém sobre nacionalismo, raça, etnia e até gênero? Eu estava tentando articular e criar uma teoria de uma existência fronteiriça [*Borderlands existence*].[7]

Sua tentativa consolida-se principalmente na escrita do livro *Borderlands/La Frontera: the New Mestiza*[8], publicado em 1987, num período em que o pós-estruturalismo e o feminismo começavam a aliar-se e pesquisadoras de grupos racializados como Anzaldúa aproveitaram a oportunidade para erguer a voz e clamar pela sua própria expressão política e teórica num

---

5. O termo usado para definir a mestiçagem de Anzaldúa, inclusive por ela própria, é *chicana* (também grafado *chicano* ou *chicanx*), que pode se referir tanto à miscigenação entre mexicanos, negros e/ou brancos quanto àquela das pessoas descendentes de mexicanos, mas nascidas em solo estadunidense.
6. ANZALDÚA, Gloria. *Interviews/Entrevistas*. ed. AnaLouise Keating. Nova York: Routledge, 2000.
7. Ibid., p. 124 (em tradução livre).
8. Id., *Borderlands/La Frontera*: the New Mestiza, op. cit.

espaço hegemonicamente branco, cristão e de classe média. As pesquisadoras Eliana Ávila e Claudia de Lima Costa, da Universidade Federal de Santa Catarina, conseguem expressar a importância teórica e política de Anzaldúa no artigo "Gloria Anzaldúa, a consciência mestiça e o 'feminismo da diferença'"[9]:

> *Borderlands* é visto por algumas feministas como a tentativa de Anzaldúa de ir mais além do feminismo da diferença do início dos anos 1980, das abstrações desconstrucionistas ou sinais da diferença pura de algumas vertentes pós-estruturalistas, para um escrutínio (geo)político das mestiçagens e hibridismos presentes na explosiva zona de contato que caracteriza a fronteira entre México e Estados Unidos. Em outras palavras, a nova mestiça de Anzaldúa, com sua consciência polivalente e por meio de uma prática performática/textual transversiva, ocupa, em constante sobreposição/deslocamento, os interstícios dos vários vetores da diferença resultantes dos desequilíbrios históricos e das exclusões múltiplas.[10]

A "consciência polivalente" de Anzaldúa incorpora várias questões úteis. Apesar de chamar sua teoria de fronteiriça, de certa forma, a proposição teórica que a *chicana* produziu dissolve-a totalmente: fronteiras misturam-se, formando uma amálgama substancialmente nova, e assim esse sujeito polivalente não se encaixa mais entre a alternância de ser um ou outro, tornando-se algo novo, produzindo também novos significados nos mundos que habita e alterando-os.

Acima de tudo, vale destacar que Anzaldúa se preocupa muito com o aspecto material e político das questões que aborda. Sobre a fronteira entre Estados Unidos e México, ela afirma que é o lugar onde "o Terceiro Mundo colide com o Primeiro

---

9. COSTA, Claudia de Lima; ÁVILA, Eliana. Gloria Anzaldúa, a consciência mestiça e o "feminismo da diferença". *Revista Estudos Feministas*, v. 13, n. 3, p. 691-703, 2005. Disponível em: http://dx.doi.org/10.1590/S0104-026X2005000300014. Acesso em: 30 ago. 2020.
10. Id.

Mundo e sangra"[11]. Sendo assim, não se pode dizer que a obra de Anzaldúa limita-se ao "pós-modernismo" ou ao "identitarismo", pois a própria autora destaca sua formação marxista e a ligação entre linguagem, cultura e classe[12]. Assim, ela pode ser lida como uma mulher que integra identidade e estrutura, revisando a história do ponto de vista político e lidando com o presente sob a perspectiva de múltiplas opressões materiais, ao mesmo tempo que ressalta uma necessidade de identificação e ressignificação ontológica para si e para aqueles que são tão múltiplos quanto ela. Assim, Anzaldúa assinala seu lugar político e seu compromisso profundo de subversão da opressão, assim como de agenciamento diante daqueles que a promovem:

> Por que eles nos combatem? Por que pensam que somos monstros perigosos? Por que somos monstros perigosos? Porque desequilibramos e muitas vezes rompemos as confortáveis imagens estereotipadas que os brancos têm de nós: a negra doméstica, a pesada ama de leite com uma dúzia de crianças sugando seus seios, a chinesa de olhos puxados e mão hábil – "Elas sabem como tratar um homem na cama" –, a *chicana* ou a índia de cara achatada, passivamente deitada de costas, sendo comida pelo homem *à la* La Chingada.
>
> A mulher do Terceiro Mundo se revolta: nós anulamos, nós apagamos suas impressões de homem branco. Quando você vier bater em nossas portas e carimbar nossas faces com ESTÚPIDA, HISTÉRICA, PUTA PASSIVA, PERVERTIDA, quando você chegar com seus ferretes e marcar PROPRIEDADE PRIVADA em nossas nádegas, nós vomitaremos de volta na sua boca a culpa, a autorrecusa e o ódio racial que você nos fez engolir à força. Não seremos mais suporte para seus medos projetados. Estamos cansadas do papel de cordeiros sacrificiais e bodes expiatórios.[13]

---

11. ANZALDÚA, Gloria. *Borderlands/La Frontera:* the New Mestiza, op. cit., p. 4.
12. Id. *Interviews/Entrevistas*, op. cit., p. 230.
13. Id. Falando em línguas: uma carta para as mulheres escritoras do Terceiro Mundo. Tradução Édna de Marco. *Estudos Feministas*, v. 8, n. 1, p. 230-1, 2000.

Assim, a voz política de Anzaldúa ressoa sobre a conjunção das questões de corpos e estruturas que se somam produzindo opressões entrelaçadas. Tal voz se faz muito necessária de ser mais conhecida e explorada na academia e na teoria brasileiras, visto que o país traz especificidades únicas dentro da América Latina, tendo produzido – tanto ao longo dos anos de opressão colonial como a partir dos processos de resistência à colonização – uma diversidade tão múltipla quanto a que Anzaldúa se refere, embora em contextos historicamente relativos a nossas origens sociais e culturais. A "conversa" com Anzaldúa, tendo em perspectiva o contexto do Brasil no continente latino-americano, não pode ser feita sem a interlocução de outra autora *mestiza*: Lélia Gonzalez. Brasileira, filha de uma mulher indígena e de um homem negro e imbuída de forte ativismo político e acadêmico, Gonzalez talvez seja a intelectual mais potente e menos reconhecida da história deste país. Na próxima sessão, abordarei a obra dessa teórica e, em seguida, relacionarei as vozes mestiças de Anzaldúa e Gonzalez para pensar o futuro político de nosso país de agora em diante, com nossos desafios históricos seculares e os novos problemas decorrentes da pandemia global do novo coronavírus.

Uma feminista amefricana: debatendo a obra e o legado de Lélia Gonzalez

LÉLIA GONZALEZ FOI UMA mulher mineira negra, nascida de mãe indígena, ativa nas iniciativas políticas pela liberação do povo negro em diáspora e pelo feminismo. Não se restringindo à prática política, criou uma teoria para ressignificar a história e a geopolítica do continente chamado "América", por meio da "categoria político cultural"[14] da Améfrica Ladina e da amefricanidade (*amefricanity*):

---

14. GONZALEZ, Lélia. A categoria político-cultural de amefricanidade. *Tempo Brasileiro*, v. 92, n. 93, p. 69-82, 1988. (também presente em *Por um feminismo afro-latino-americano*. RIOS, Flávia; LIMA, Márcia [Org.]. Rio de Janeiro: Zahar, 2020. p. 127-38).

> As implicações políticas e culturais da categoria de amefricanidade (*Amefricanity*) são, de fato, democráticas; exatamente porque o próprio termo nos permite ultrapassar as limitações de caráter territorial, linguístico e ideológico, abrindo novas perspectivas para um entendimento mais profundo dessa parte do mundo onde ela se manifesta [...]. Para além de seu caráter puramente geográfico, a categoria de amefricanidade incorpora todo um processo histórico de intensa dinâmica cultural (adaptação, resistência, reinterpretação e criação de novas formas) que é afrocentrada [...]. Em consequência, ela nos encaminha no sentido da construção de toda identidade étnica. [...]
> Seu valor metodológico, a meu ver, está no fato de permitir a possibilidade de resgatar uma *unidade específica*, historicamente forjada no interior de diferentes sociedades que se formaram numa determinada parte do mundo. Portanto, a *Améfrica*, enquanto sistema etnogeográfico de referência, é uma criação nossa e de nossos antepassados no continente em que vivemos [...].[15]

Tal qual Anzaldúa, Gonzalez pensa nas especificidades do nosso continente, buscando a capacidade de autodeterminação e de domínio da nossa narrativa. Gonzalez também explica que esse conceito não está restrito ao território que entendemos como América do Sul, expandindo-se às "outras" Américas – do Norte, Central e insular[16] –, e também vincula sua visão epistemológica ao pan-africanismo e à afrocentricidade. Contudo, destaco que, por ter mãe de origens indígenas, tal qual Anzaldúa, Gonzalez dialoga com dois mundos, o negro e o indígena, trazendo igualmente para o centro do conceito de amefricanidade as resistências das populações nativas desta terra. Assim, Gonzalez aborda em seus textos a subordinação conjunta imposta pelo colonizador a esses dois grupos, aos quais ela

---

15. Ibid., p. 76-7 (p. 134-5).
16. Ibid., p. 76 (p. 134).

pertence, embora seja lembrada majoritariamente pelo seu ativismo em prol das populações negras.

Assim como Anzaldúa, Gonzalez interliga o debate da diversidade e da multiplicidade "amefricana" com a luta feminista no continente:

> [...] o feminismo latino-americano perde muito da sua força abstraindo um fato da maior importância: o caráter multirracial e pluricultural das sociedades da região. Lidar, por exemplo, com a divisão sexual do trabalho sem articulá-la com a correspondente ao nível racial é cair em uma espécie de racionalismo universal abstrato, típico de um discurso masculinizante e branco. Falar de opressão à mulher latino-americana é falar de uma generalidade que esconde, enfatiza, que tira de cena a dura realidade vivida por milhões de mulheres que pagam um preço muito alto por não serem brancas. Concordamos plenamente com Jenny Bourne, quando ela afirma: "Eu vejo o antirracismo como algo que não está fora do movimento de mulheres, mas como algo intrínseco aos melhores princípios feministas".
> Mas esse olhar que não vê a dimensão racial, essa análise e essa prática que a "esquecem" não são características que se tornam evidentes apenas no feminismo latino-americano.[17]

Assim, em um momento em que a tradição do feminismo marxista tinha começado, no Brasil, a adicionar a dimensão da divisão sexual dentro da estrutura exploratória do capitalismo, principalmente a partir de 1950, Gonzalez adiciona a questão racial e também a intersecção entre esses dois fatores[18]. Gostaria de adicionar que, no trecho acima citado, Gonzalez não fala estritamente de mulheres negras, uma vez que usa a

---

17. Id. "Por un feminismo afrolatinoamericano". *Isis Internacional – Mujeres por um desarollo alternativo*, v. 9, p. 133-41, 1988, p. 14 (também presente, com o título "Por um feminismo afro-latino-americano", em *Por um feminismo afro-latino-americano*, op. cit., p. 142).
18. CARDOSO, Cláudia Pons. Amefricanizando o feminismo: o pensamento de Lélia Gonzalez. *Revista Estudos Feministas*, v. 22, n. 3, p. 965-86, 2014. Disponível em: https://doi.org/10.1590/S0104-026X2014000300015. Acesso em: 30 ago. 2020.

expressão "mulheres que pagam um preço muito alto pelo fato de não serem brancas"[19]; dessa forma, abarca a multiplicidade racial das mulheres existentes no país, tanto as negras de origem e ancestralidade africanas quanto as indígenas e as amarelas (ou asiático-brasileiras) – da classe trabalhadora, oriundas das imigrações asiáticas do século XX –, incluindo as mulheres mestiças ou miscigenadas, de origens misturadas entre indígenas, negros, amarelos e/ou brancos. Gonzalez compreendia quais seriam as posições dessas mulheres enquanto sujeitos com corpos racializados e pertencentes à grande classe trabalhadora brasileira. Contudo, como sujeito politicamente ativo nos círculos feministas e estudante da teoria feminista em terras brasileiras, a autora era precisa em expressar o apagamento da existência dessas mulheres no feminismo como movimento sociopolítico num país latino-americano:

> Mas o que geralmente encontramos ao ler os textos e a prática feminista são referências formais que denotam um tipo de esquecimento da questão racial. Vamos dar um exemplo da definição de feminismo: ela se baseia na "resistência das mulheres em aceitar papéis, situações sociais, econômicas, políticas, ideológicas e características psicológicas baseadas na existência de uma hierarquia entre homens e mulheres, a partir da qual a mulher é discriminada" (Judith Astelarra). Seria suficiente substituir os termos "homens e mulheres" por "brancos e negros" (ou indígenas), respectivamente, para se ter uma excelente definição de racismo.
> Exatamente porque tanto o sexismo como o racismo partem de *diferenças biológicas* para se estabelecerem como ideologias de dominação. Surge, portanto, a pergunta: como podemos explicar esse "esquecimento" por parte do feminismo? A resposta, em nossa opinião, está no que alguns cientistas sociais caracterizam

---

19. GONZALEZ, Lélia. *Por um feminismo afro-latino-americano*, op. cit., p. 14 (p. 142).

como *racismo por omissão* e cujas raízes, dizemos, estão em uma visão de mundo eurocêntrica e neocolonialista.[20]

Assim, Gonzalez faz a denúncia do que ela chama de "racismo por omissão"[21]. Ao acreditar que as dimensões de opressões estruturais como sexo/gênero, raça e classe são separadas, os movimentos feministas no Brasil e nas Américas promovem um apagamento das pautas das mulheres racializadas da classe trabalhadora, que correspondem à sua vasta maioria. Como pesquisadora, eu gostaria de acrescentar outra dimensão à análise de Gonzalez; ao excluir as pautas das mulheres racializadas da classe trabalhadora e, por conseguinte, ausentar-se dos espaços sociais e políticos nos quais esses sujeitos circulam, o movimento feminista e os outros movimentos progressistas da esquerda brasileira abriram espaço para a atuação das igrejas evangélicas radicais e da extrema direita, que persistem como força social influente fazendo trabalho de base em comunidades periféricas e ditando suas próprias agendas políticas, ressoando o trabalho secular do cristianismo de implementar a colonização no país e manter seu poder entre as grandes massas para preservar a estrutura política conforme seus interesses. De tal forma, complementando a denúncia de Gonzalez, a reversão do atual quadro político de vantagem para a extrema brasileira envolve a atuação nos espaços onde as mulheres racializadas da classe trabalhadora se encontram, assim como o combate institucional e político ao cristianismo enquanto força social e política atuando em consonância com os interesses da extrema direita.

Perceber o quanto os dilemas contemporâneos do Brasil já se encontram presentes nos textos de Gonzalez escritos há quase 35 anos evidencia a atualidade da autora e a urgência de redescobrir seus textos e trazê-los não só como aporte teórico mas também como bússola para o enfrentamento das forças

---

20. Ibid., p. 13 (p. 141).
21. Id.

opressoras na conjuntura em que nos encontramos. Assim como Anzaldúa, Gonzalez sabia que as múltiplas condições estruturais, que atravessam as vivências dos sujeitos em espaços geopolíticos de subalternidade, não podem ser separadas nem dissociadas, o que exige uma agenda prática e política de atuação em múltiplas frentes, interseccionando diálogos e interesses de diferentes grupos oprimidos.

Assim, partindo da verificação das diversas convergências entre as autoras, podemos pensar o Brasil e o futuro em um projeto de nação, partindo de Gonzalez e Anzaldúa.

Democracia racial? Pensando a Amazônia e o Brasil

UMA DAS QUESTÕES PRINCIPAIS que atravessam este texto é a de como lidar com a miscigenação brasileira sem recair em tropos que remetam à narrativa da democracia racial, que diz que o Brasil se constitui numa nação onde o racismo foi sublimado e a miscigenação garantiu uma horizontalidade igualitária entre as raças, veio de trabalhos canônicos da sociologia brasileira, como os de Gilberto Freyre e Sérgio Buarque de Holanda[22]. Autores como Kabengele Munanga e a própria Lélia Gonzalez foram e têm sido centrais no desmantelamento dessa perspectiva, que impera nas ciências sociais brasileiras desde o começo do século XX. Para Gonzalez, no texto "A democracia racial: uma militância"[23], a fim de alcançar a construção real da tal democracia igualitária citada no título, o Brasil precisaria definir como central a luta contra a discriminação racial, inclusive na frente intelectual. Rejeitando totalmente o conceito, Gonzalez afirma que a democracia racial ainda não se tornou realidade, o que só acontecerá quando os grupos sociais se mobilizarem

---

22. SOUZA, Jessé de. *A elite do atraso*: da escravidão a Bolsonaro. Rio de Janeiro: Estação Brasil, 2019.
23. GONZALEZ, Lélia. A democracia racial: uma militância. In: *Por um feminismo afro-latino--americano*, op. cit., p. 310-2.

em luta conjunta nesse sentido. Kabengele Munanga expõe algumas das minúcias dessa narrativa, que predomina do senso comum aos círculos mais altos da intelectualidade brasileira:

> Mas, o maior problema da maioria entre nós parece estar em nosso presente, em nosso cotidiano de brasileiras e brasileiros, pois temos ainda bastante dificuldade para entender e decodificar as manifestações do nosso racismo à brasileira, por causa de suas peculiaridades que o diferenciam das outras formas de manifestações de racismo acima referidas. Além disso, ecoa dentro de muitos brasileiros, uma voz muito forte que grita; "não somos racistas, os racistas são os outros, americanos e sul-africanos brancos". Essa voz forte e poderosa é o que costumamos chamar "mito de democracia racial brasileira", que funciona como uma crença, uma verdadeira realidade, uma ordem. Assim fica muito difícil arrancar do brasileiro a confissão de que ele é racista.[24]

Assim, Munanga demonstra que, pelo fato de o Brasil não ter tido sistemas legais explícitos de segregação racial, como Estados Unidos e África do Sul, e, por outro lado, ter sido palco de uma miscigenação racial baseada na violência, torna-se mais complicado expor as minúcias do "racismo à brasileira". Dessa forma, o brasileiro se convence de que não pode ser racista simplesmente por viver num país de grande diversidade racial.

Pensando a partir da Amazônia, esse debate traz ainda mais desafios: venho de uma região de grande diversidade, onde a maioria da população tem origens indígenas, negras, afro-indígenas, marcada pela miscigenação com brancos e asiáticos, e o mestiço local chama-se caboclo – uma palavra cuja etimologia tem natureza controversa, sendo traçada a partir da língua tupi, da designação de "homem branco" (*kara'iua*) e casa

---

24. MUNANGA, Kabengele. Teoria social e relações raciais no Brasil contemporâneo. *Cadernos Penesb*, n. 12, p. 169-203, 2010.

ou mato (*oka*), chegando, por fim, aos indígenas urbanizados ou aos filhos mestiços de indígenas com brancos[25]. Para além de sua origem etimológica, a palavra teve um papel importante na construção das identidades mestiças[26]. No contexto paraense, o termo foi positivado para definir uma identidade amazônica especificamente acoplada às culturas locais e às suas expressões, servindo tanto positivamente, para construir uma identidade popular que os locais amam e defendem, quanto negativamente, para ocultar a violência e a brutalidade de diversos processos históricos que, desde o começo da colonização e até hoje, visaram ao extermínio das populações indígenas e negras. Destaco a experiência cabana, na qual um levante anticolonial entre as massas "caboclas" e a elite local paraense conseguiu formar um governo popular que durou três meses[27]. A lembrança da Cabanagem foi muito apagada e distorcida, principalmente nas narrativas oficiais do Pará – que celebra a derrota dos cabanos, anualmente, num feriado regional[28].

Assim, os tradicionais tropos da democracia racial e as abordagens, não menos tradicionais, da branquitude sulista e sudestina advindas das "capitais intelectuais" do Brasil muitas vezes falham em compreender a complexidade e a potência de uma região tão diversa nos aspectos étnico-raciais e histórico-políticos, com especificidades que frequentemente inexistem em outras partes do país (apesar de a extensão territorial da floresta amazônica ultrapassar o Norte do país e mesmo nossas fronteiras nacionais, as mais significativas expressões culturais consideradas tipicamente amazônicas, assim como seus cenários sociopolíticos específicos, encontram-se principalmente nessa região).

---

25. CORREIA, Luís Rafael A. *Feitiço caboclo*: um índio mandingueiro condenado pela Inquisição. Tese (Doutorado em História), Universidade Federal Fluminense, 2017, p. 105.
26. Ibid., p. 163.
27. HARRIS, Mark. *Rebelião na Amazônia*: Cabanagem, raça e cultura popular no norte do Brasil, 1798-1840. Tradução Gabriel Cambraia Neiva e Lisa Katharina Grund. Campinas: Editora da Unicamp, 2017.
28. Id.

Nesse sentido, a teoria múltipla de Anzaldúa consegue ser adaptada para compreender a realidade amazônica, o que está inegavelmente ligado ao fato de suas origens serem também indígenas e de ela ter vivido numa fronteira onde a miscigenação entre nativos e indígenas aconteceu da mesma forma (atravessada majoritariamente pelo estupro e pela violência). Anzaldúa consegue, assim, expressar o conflito de uma subjetividade atravessada conjuntamente pela resistência e pela herança do colonizador: ao contrário dos teóricos brancos consagrados como canônicos pelas ciências sociais brasileiras, não nega – nem camufla – a violência que historicamente marca a sua história e a de seu povo, admitindo-a e inserindo-a como ponto de reflexão. Além disso, a autora *chicana* também investiga o resgate de violências internas anteriores ao contato com o colonizador, como quando reconta, em *Borderlands/La Frontera*), o "mito" fundacional da Cidade do México (Tenochtitlán), criada pelos povos nativos conhecidos por nós como "astecas".

> Huitzilopochtli, o Deus da Guerra, os guiou até o local (que mais tarde se tornou Cidade do México), onde encontraram uma águia com uma serpente em seu bico empoleirada em um cacto. A águia simboliza o espírito (como o sol, o pai); a serpente simboliza a alma (como a terra, a mãe). Juntos, eles simbolizam a luta entre o espiritual-celestial-masculino e o submundo-terra-feminino. O sacrifício simbólico da serpente aos poderes "superiores" masculinos indica que a ordem patriarcal já tinha vencido a ordem feminina e matriarcal na América pré-colombiana.[29]

Assim, não só Anzaldúa admite que sua miscigenação vem da violência como aborda as opressões e conflitos presentes antes mesmo da invasão colonial europeia. Usando esse pensamento para a Amazônia, podemos e devemos admitir e

---

29. ANZALDÚA, Gloria. *Borderlands/La Frontera*: the New Mestiza, op. cit., p. 5.

rememorar as origens da diversidade desse território: antes de tudo, derivada da resistência indígena contra o extermínio do colonizador branco, somada à resistência dos africanos forçadamente trazidos para trabalhar em regime de escravidão; posteriormente, a eles se uniu uma grande quantidade de trabalhadores asiáticos, de origens diversas (dos árabes passando pelos japoneses e chineses), que vieram nos séculos XIX e XX e conseguiram certa ascensão social, diferentes das populações locais, mas que também, muitas vezes, foram submetidos aos trabalhos forçados e a diversas violências e formas de aculturação para integrarem "plenamente" a sociedade amazônica.

Assim, podemos começar a construir uma nova visão da Amazônia: não mais uma "terra sem homens", mas sim um lugar de grande biodiversidade natural e diversidade social, marcada pela luta anticolonial e por vários processos de miscigenação e aculturação atravessados pela violência. Usar o método similar ao de Anzaldúa e resgatar, como ela, as memórias dos povos nativos também nos levará a compreensões diferentes da história da região. Assim, adicionando a visão da "teoria fronteiriça" da autora à desmistificação da narrativa da democracia racial feita por Munanga e Gonzalez, podemos reconstruir o discurso sobre a região e encarar os complexos desafios sociopolíticos de forma mais adequada; como, por exemplo, a preservação da floresta amazônica e suas populações, a proteção das mulheres e crianças racializadas em situação de vulnerabilidade nas regiões metropolitanas e nos interiores da Amazônia, o desenvolvimento ecologicamente sustentável das grandes metrópoles da floresta e a mudança climática em curso na região, que trará efeitos relacionados a questões de justiça social.

Similarmente, podemos repensar a narrativa nacional e desconstruir a da democracia racial. Isso pode e deve ser feito com recursos interdisciplinares, levando em conta não só as análises e os debates das Ciências Humanas, mas também os estudos recentes de mapeamento genético nas Américas

– envolvendo a América do Sul, inclusive o Brasil –, que têm avaliado o impacto, do ponto de vista de consequências genéticas, do tráfico transatlântico de pessoas africanas durante o período da colonização. O estudo, chamado "Genetic Consequences of the Transatlantic Slave Trade in the Americas", foi publicado por uma equipe de cientistas da área da genética; suas conclusões ajudam a desmantelar, com evidências biológicas, a narrativa da "democracia racial" e da miscigenação como um lugar de "harmonização" entre as raças:

> Embora os registros tenham lançado luz sobre as principais tendências do comércio transatlântico de escravos, os efeitos de práticas sub documentadas, como o comércio ilegal de escravos e detalhes de eventos após o desembarque nas Américas, permanecem menos compreendidos.
> Se os eventos sub documentados não mudassem o paradigma geral do comércio de escravos e as taxas de reprodução, estas eram equivalentes entre as populações escravizadas nas Américas, o grau de similaridade genética entre as Américas e cada região de comércio de escravos da África seria correlacionado com o número registrado de escravos que desembarcou em cada região.
> Além disso, pouco se sabe sobre até que ponto os escravos e seus descendentes continuaram a se associar exclusivamente com aqueles de origens etnolinguísticas semelhantes após gerações nas Américas.
> Se tal associação fosse comum, os americanos com raízes africanas deveriam ter descendência africana de uma única região da África em um padrão correlacionado com a geografia. Finalmente, estudos anteriores indicam que os indivíduos com ascendência mista têm níveis mais elevados de ancestralidade africana em regiões genômicas herdadas da linhagem feminina. No entanto, a extensão desse viés sexual nas contribuições de fundo genético pode variar nas Américas devido às diferenças

regionais na mortalidade de entre homens escravos, estupro de mulheres africanas escravizadas, segregação forçada, e práticas de redução da representação africana promovendo a reprodução com os europeus (branqueamento racial).

[...]

Apesar de mais de 60% dos escravos trazidos para cada região das Américas serem homens, as comparações das estimativas de ancestralidade para o cromossomo X e autossomos, bem como a comparação dos haplogrupos mitocondriais (maternos) e Y (paternos), revelaram um viés para as mulheres africanas como superiores em relação às contribuições masculinas para os genes em todas as Américas. No entanto, essa prevalência sexual feminina africana é mais extrema na América Latina (entre 4 e 17 mulheres africanas para cada homem africano contribuindo para o material genético) do que nas Américas colonizadas pelos britânicos (entre 1,5-2 mulheres africanas para cada homem africano contribuindo para o material genético[...]). Uma prevalência sexual feminina em toda a América pode ser atribuída a relatos conhecidos de rapto de mulheres africanas escravizadas por proprietários de escravos e outras explorações sexuais.[30]

Assim, vê-se que a herança africana no Brasil está ligada à exploração e ao abuso sexual de mulheres raptadas em África, assim como ao extermínio dos homens advindos do continente, sobretudo na América Latina, incluindo o Brasil. O estudo foca a miscigenação voltada para o branqueamento, que ajudou a fazer com que houvesse predominância do sujeito europeu na herança do cromossomo Y e da mulher africana no cromossomo X, evidenciando as práticas de estupro para que tal mistura étnica acontecesse. Como Anzaldúa no prefácio de *Borderlands/La Frontera*, nós não podemos negar a miscigenação, pois isso apagaria tal violência, mas não podemos glorificá-la nem

---

30. MICHELETTI, Steven J. et al. Genetic Consequences of the Transatlantic Slave Trade in the Americas. *American Journal Of Human Genetics*, v. 107, n. 2, p. 265-77, 2020.

construir uma narrativa nacional que coloque a miscigenação como pedra angular, de forma acrítica e a-histórica. Como Gonzalez e Anzaldúa propõem, precisamos olhar para o que foi feito e pensar no que ainda precisamos fazer para reposicionar o debate sobre a democracia racial e a miscigenação. Precisamos admitir que o Brasil tem, sim, uma multiplicidade e uma diversidade quase únicas em termos de população, mas que isso advém de uma estruturada prática de violência do período colonial e que suas consequências para as populações africanas, afro-brasileira, indígenas e mestiças continuam existindo, principalmente pela falta de condições para uma vida digna, pelo genocídio estruturalmente sancionado pelo Estado (negligência para com as populações indígenas, guerra às drogas como guerra às populações negras periféricas etc.) e pela dificuldade de acesso aos direitos humanos básicos.

Como construir uma nação: as consciências *mestizas* e amefricanas do Brasil

A DIVERSIDADE E A multiplicidade culturais brasileiras são inegáveis. A miscigenação, porém, foi usada como alicerce para ocultar o racismo e a violência contra grupos racializados no país. O atual momento histórico, caracterizado pelo avanço das forças conservadoras e por uma pandemia global que faz com que as questões de raça, classe e sexo/gênero tornem-se cada vez mais determinantes quando é preciso decidir quem vive e quem morre, exige uma mudança de narrativa que se conjugue à construção de um novo projeto de país, em oposição ao atual e mais justo para a maioria, além do enfrentamento das desigualdades estruturais herdadas da colonização.

Evocar, teórica e politicamente, Lélia Gonzalez e Gloria Anzaldúa nos serve para pensar um país diferente. Um país que reconheça as origens históricas de sua diversidade: enormes formas de violência contra sujeitos racializados por meio da tentativa de imposição hegemônica de um modelo eurocentrado, cristão e elitista. Devemos nos pensar, historicamente, como amefricanos, a partir das resistências de indígenas, negros e mestiços, além de outros grupos raciais e sociais historicamente oprimidos, como asiáticos, mulheres, LGBTQIA+ e os movimentos dos trabalhadores em luta.

A partir daí, cria-se outra narrativa do povo brasileiro, não a de um povo "vira-lata" e "passivo", mas a de um povo em luta constante e contínua, resistindo tanto no embate direto, a exemplo da República dos Palmares e da Cabanagem, como na resistência cultural e simbólica, passando pela religião, pelas artes, pela comida e por um conjunto de outras manifestações que materializam as formas mais "ocultas" de se revoltar contra o jugo do opressor.

Falando como mulher negra, amarela, amazônida e cabocla, essa nova narrativa permite um retrato mais fiel e verdadeiro das histórias de lutas que carrego dentro de mim. A eliminação da ideia da "pureza" ou do paradigma cultural europeu permite que lidemos melhor com a sociedade e os desafios políticos e sociais contemporâneos.

Não existe uma fórmula pronta que nos diga se esse novo projeto de país funcionaria para todo mundo, mas, se os grandes partidos políticos e grupos representativos de movimentos sociais da esquerda conseguissem se despir da própria branquitude, o suficiente para interagir com as massas trabalhadoras, abandonando a zona de conforto e encarando a raça como estruturante para a formação da sociedade brasileira – e com uma configuração miscigenatória quase única no mundo –, certamente esse seria um passo importante para começarmos a mudar o jogo político.

Gostaria de dizer que já existem mulheres – como Talíria Petrone e Marielle Franco, deputadas negras do Partido Socialismo e Liberdade (PSOL), assim como Sônia Guajajara, primeira mulher indígena a ser candidata a vice-presidente na história do país – com trajetórias e iniciativas políticas ímpares para o país, apontando um caminho prático para construir uma nação amefricana e *mestiza*. O assassinato de Marielle Franco (negra, periférica, lésbica e mãe solo) mostra o quão estrutural é a raça no Brasil, estando na base da estrutura para a manutenção da desigualdade no país. Mesmo com a sua abrupta morte – um crime ainda não resolvido –, o legado de Marielle permanece vivo por meio de sua família, que vem da favela da Maré (Rio de Janeiro) e que criou o Instituto Marielle Franco para continuar as iniciativas da vereadora e socióloga.

Da mesma forma, o uso da palavra *mestiza* materializa-se aqui pela ressignificação política feita por Anzaldúa, expressando a multiplicidade de um sujeito que condensa vários mundos e vive constantemente em diferentes fronteiras. Assim, encerro este texto saudando a memória ancestral de Anzaldúa e Gonzalez, mulheres *mestizas* de heranças ameríndias e negras. Que sua força política e teórica seja a energia e o caminho para a construção de uma nação amefricana-*mestiza*.

Lina Arao

Entre Japão e Brasil: alguns apontamentos acerca de *Sob dois horizontes*, de Mitsuko Kawai

ESCREVER SOBRE QUESTÕES INTERSECCIONAIS – gênero e raça – sempre envolve discussões e divergências. Em um período de duros ataques aos direitos de toda sorte, o tema, no entanto, mostra-se de maior importância ainda. Este texto será escrito pela perspectiva de uma individualidade à qual frequentemente é negada a possibilidade de representar-se plenamente.

Escrever sobre ser mulher e descendente de japoneses é tratar de um assunto muito específico e complexo, uma vez que é impossível representar, sob um único ponto de vista subjetivo e individual, as vozes de todas as descendentes de japoneses no Brasil, cujas histórias, embora semelhantes, nunca serão as mesmas. O que este texto procurará relatar consiste em uma experiência pessoal que talvez possa remeter às de outros indivíduos.

Considerando a minha construção como sujeito social, um tópico que assume papel fundamental é o da representatividade (ou da carência dela). A falta de representatividade atinge não apenas aspectos políticos, mas a própria construção da subjetividade e a dificuldade de colocar-se e posicionar-se no mundo, já que carecemos de imagens públicas com as quais possamos nos identificar. O núcleo familiar passa, assim, a ser o único elemento que pode corresponder à ideia de pertencimento a algo ou alguma coisa.

A questão do pertencimento é, igualmente, uma das mais problemáticas na minha experiência de vida, porque, assim como outros descendentes de japoneses frequentemente relatam, não sou considerada brasileira, embora meus pais já tenham nascido e crescido no Brasil. No imaginário da formação da nação brasileira, os imigrantes asiáticos e seus descendentes são quase sempre esquecidos e, consequentemente, muitas vezes não são considerados parte constitutiva da sociedade.

O que parece ser um problema menor pode transformar-se, na construção da identidade e da subjetividade da pessoa excluída, em um assunto de grande complexidade, na medida em que, no caso dos descendentes de japoneses, tampouco há a identificação da nacionalidade como japoneses. Isso quer dizer que, mesmo que essas pessoas desejem ou necessitem emigrar para o Japão, nunca serão consideradas cidadãs japonesas. Ao mesmo tempo, no Brasil, não são consideradas realmente brasileiras, apesar de os documentos oficiais provarem essa nacionalidade.

Não fazer parte da nação implica o apagamento de uma história passada e de uma realidade atual: é como se (em minha percepção) todo o trabalho que os descendentes de japoneses fazem e fizeram no país não fosse considerado importante, não fosse um elemento que o constitui. A exclusão manifesta-se psicologicamente como uma espécie de limbo em que não se pertence a lugar nenhum, não se pode identificar-se com nada nem ninguém.

No meu caso, especificamente, essa complexidade "resolveu-se", em um primeiro momento bastante extenso, ao buscar um enraizamento na cultura brasileira: tentando desvencilhar-me das "tradições" e das "heranças" japonesas, não procurava compreendê-las e muito menos aprofundar meus conhecimentos sobre elas. Interessava-me, sobretudo, a literatura brasileira, e formei-me para ser professora de tal disciplina, o que demanda grande conhecimento da língua portuguesa e, por isso, sempre causou muito estranhamento em todos os locais de trabalho pelos quais passei.

Desde a universidade até as escolas de nível médio e fundamental, todos os colegas surpreendiam-se por eu ser professora de Português ou de Literatura Hispano-Americana (no caso da faculdade). Imaginavam que, certamente, eu seria professora de língua japonesa, na universidade, ou de Ciências, Matemática ou Inglês, nas escolas de Ensino Básico. Um aluno certa vez comentou que nunca pensou que um dia teria uma "professora japonesa" que dava aula de Português. Em todas as interações sociais, com pessoas conhecidas ou desconhecidas, a minha individualidade sempre se pautou pela racialização: considerada estrangeira em maior ou menor medida, algo sempre me adverte de que não posso ser vista nem compreendida como brasileira ou completamente brasileira.

Essas experiências de exclusão levaram-me a pensar que havia "perdido tempo demais" tentando me fazer encaixar em uma sociedade e em uma cultura que não me abarcavam, já que não só rejeitavam os japoneses e seus descendentes na qualidade de elementos constitutivos da nação como também mitigavam suas marcas: a história de imigração e, posteriormente, sua produção cultural e artística. Dessa forma, ao buscar esses registros pouco conhecidos e, concomitantemente, encontrar experiências com as quais eu pudesse me identificar ou que expusessem algumas reminiscências das histórias que eu mesma havia escutado de parentes, deparei-me com alguns romances e autobiografias escritos por brasileiras descendentes de japoneses e de japonesas que vieram ao Brasil quando jovens.

Nessa brevíssima pesquisa, um livro me chamou bastante a atenção: *Sob dois horizontes*, uma autobiografia escrita por Mitsuko Kawai e publicada em 1988. A história pareceu-me impressionante por vários motivos: escrita já na década de 1980 por uma japonesa que aprendera a língua portuguesa por conta própria para ajudar seus filhos – brasileiros – nas lições de escola, e que o fizera com tal destreza, que se tornara tradutora, jornalista e escritora.

Ainda que existam alguns estudos acadêmicos acerca dessa obra e da autora como jornalista, bem como aqueles que tratam de outras produções importantes escritas por descendentes de japoneses[1], elas permanecem quase desconhecidas e ignoradas pelo público brasileiro. Cabe ressaltar, conforme assinala Cristina Maria Teixeira Stevens, ao fazer uma comparação do caso de produções literárias escritas por descendentes de japoneses no Brasil e nos Estados Unidos, que:

> As publicações de nisseis norte-americanas são mais antigas e numerosas, com um público leitor mais extenso e diversificado do que no caso brasileiro. Um romance [...], *Nisei Daughter* (Monica Sone), publicado em 1953, já se encontra na sua oitava tiragem e é hoje incluído em cursos acadêmicos de universidades americanas.[2]

A ausência de estudos e de divulgação acerca da produção literária escrita por descendentes de japoneses no Brasil representa uma grave lacuna no rol das instituições de Ensino Superior. Situação, consequentemente, muito pior quando pensamos na Educação Básica.

Façamos um exercício de empatia e imaginação: adicionemos ao fato de que descendentes de japoneses são sempre considerados estrangeiros, ainda que somente saibam falar a

---

1. Como NAKAMURA, Hiroko. *Ipê e Sakura:* em busca da identidade. São Paulo: Scortecci, 1988; TSUNODA, Fusako. *Canção da Amazônia*. Rio de Janeiro: Francisco Alves, 1988; HASEGAWA, Laura Honda. *Sonhos bloqueados*. São Paulo: Estação Liberdade, 1991; HIRONAKA, Chikako. *Horas e dias do meu viver*. São Paulo: Aliança Cultural Brasil-Japão/Diário Nippak, 1994.
2. STEVENS, Cristina Maria Teixeira. A interface gênero/etnia na ficção de nisseis brasileiras e estadunidenses. *Labrys: estudos feministas*, v. 1, n. 1, p. 2, 2004.

língua portuguesa, a completa ausência de textos escritos por brasileiros descendentes de japoneses nos livros didáticos adotados pelas escolas ou a sua escassez na maior parte das bibliotecas do país. O resultado dessa equação é a sub-reptícia transmissão da mensagem de que os descendentes de japoneses não sabem ou não podem escrever literatura porque não fazem verdadeiramente parte do Brasil, não "podem" conhecer e dominar bem a língua portuguesa, portanto, não podem contribuir para a construção da literatura brasileira.

Nesse sentido, essas produções literárias escritas por mulheres brasileiras descendentes de japoneses ou por japonesas que transformaram o país em espaço de vivência representam, para além de sua ignorada importância na composição da literatura nacional, por expressar uma perspectiva particularizada de uma experiência intrinsecamente brasileira, um indispensável papel na construção de exemplos para outras escritoras descendentes de japoneses. A representatividade tão necessária para as meninas e mulheres "nikkeis" existe. O grande obstáculo é o apagamento de seus rastros, que nos priva dessa possibilidade.

A descoberta, para mim bastante tardia, dessas obras abriu um novo horizonte, para remeter ao título do livro de Kawai. Assim, dessa percepção pessoal e tão cara a mim, procuro refletir sobre a autobiografia: a partir dos episódios relatados por Kawai, desde suas considerações sobre os lugares que visitou ou a cidade em que nasceu no Japão até sua chegada ao Brasil e a luta dela e de sua família para sobreviver em um novo espaço, totalmente estranho, reconstruo as histórias da minha própria família. Para uma descendente de japoneses que não sabe falar japonês, como eu, as histórias familiares transformam-se quase em lendas, traduzidas e recontadas pelos meus pais e pelos meus tios, de modo que ficção e realidade (já que ela não existe como um fato, mas como versões dele) se misturam. Mesclam-se, assim, experiências da minha família e de outras, que vieram frequentemente sob condições semelhantes: fugindo de uma crise econômica gravíssima no Japão, lançando-se a uma aventura com conhecimento quase nulo sobre o Brasil e, aqui chegando, indo imediatamente trabalhar na lavoura.

A narrativa de Kawai é centrada em suas próprias experiências, que expressam o estranhamento ao deparar-se com a nova realidade – sobretudo com relação à vida de trabalho no campo, ao contato com o clima tão distinto e com a fauna local, bem como à adaptação relativa à alimentação. Interessa notar que as relações entre a narradora e sua família com os brasileiros não é o foco principal do texto, que se concentra muito mais nos acontecimentos, nas impressões que eles causaram e nas suas consequências práticas. Para uma imigrante japonesa no Brasil, principalmente em uma trajetória de fixação inicial, foram essas questões que se sobressaíram, o que poderia diferir bastante de textos escritos por brasileiros descendentes de japoneses que, já conhecendo apenas o contexto de seu país de nascimento, ocupam-se mais de sua inserção social como indivíduos racializados.

No caso de Mitsuko e sua família, eles encontraram, já na chegada, um ambiente organizado para a recepção dos imigrantes japoneses, como se infere a partir da informação de que a Fazenda Aliança, onde primeiramente se instalaram, tinha sido fundada pela Associação de Imigrantes da Província de Nagano, de modo que todos ali falavam a língua japonesa. Esse fato, que parecia a princípio positivo, posteriormente se mostrou problemático, de acordo com Mitsuko: "isso fora o maior motivo de não aprendermos logo a língua portuguesa, e, ao mesmo tempo, não nos integrarmos com facilidade na sociedade brasileira"[3]. A passagem é significativa porque, nela, a narradora sugere que o maior obstáculo para a sua integração na sociedade brasileira foi a falta de conhecimento sobre a língua, algo que ela, desde sua chegada, desejava obter. A nova realidade de trabalho, a impossibilidade de prosseguir seus estudos no Brasil e as questões econômicas,

---

3. KAWAI, Mitsuko. *Sob dois horizontes*. São Paulo: Editora do Escritor, 1988. p. 60.

decorrentes dos acordos feitos pelo pai da narradora antes de vir ao país, foram os motivos que desencadearam as situações difíceis vividas pela família. Mitsuko não considera, em sua obra, como as razões para a sua difícil integração à sociedade brasileira a dificuldade de adaptação ao clima, ao trabalho, à nova situação de pobreza no Brasil nem a hostilidade sofrida em algumas ocasiões pelo fato de ser japonesa. Essa percepção justifica o modo como a narradora relata os fatos e como, mais tarde, se esforça para dominar o conhecimento sobre a língua portuguesa. Justifica também que, embora faça algumas comparações entre o Brasil e o Japão, ela não demonstre pesar por estar em um país tão diferente, tampouco idealize um passado supostamente melhor em seu país natal em oposição a um presente de dificuldade e pobreza em um país que não compreende (perspectiva comum a alguns imigrantes japoneses no Brasil, ao menos é o que me parece quando vislumbro a minha própria experiência ao escutar histórias familiares).

Em *Sob dois horizontes*, Kawai explica que muitos dos problemas derivavam da condição particular de sua família, uma vez que havia pouca gente para cultivar uma extensão muito grande de lavoura de café:

> Acredito que meu pai, na hora de fazer o contrato, não fez ideia da extensão dos cafezais e do trabalho que eles exigiriam. Até então ninguém da família havia trabalhado na roça. Além disso, meus pais já estavam na meia-idade [...]; os outros eram os velhos e as crianças. Portanto, a capacidade braçal de nossa família era menor do que a de outras.[4]

A figura do pai, mencionada quando a narradora comenta sobre o desconhecimento acerca do local para onde iriam e do trabalho que assumiriam no Brasil, parece destacar, ainda que de modo sutil, o papel dele no destino de toda a família.

---

4. Ibid., p. 61.

Associada a ele também se configura a discussão a respeito das esperanças criadas e desfeitas sobre a imigração ao Brasil. Cabe notar que, acerca desses assuntos, o texto marca especificamente a terceira pessoa (o pai), ao passo que, ao tratar do trabalho árduo e do pouco dinheiro que se conseguiu a partir disso, emprega-se a primeira pessoa do plural, incluindo, por conseguinte, a família inteira e a própria narradora.

No trecho em que ela expõe a decepção de não poder retornar ao Japão, afirma: "Meu pai, até tomar a decisão de sair do Japão e vir para o Brasil como imigrante, deve ter pensado muito. Enfim, ele depositou esperanças na terra nova, para ter vida melhor"[5]. Evidencia-se, assim, que a decisão foi tomada por ele, que construiu seus sonhos de uma vida mais próspera no Brasil, sem ter, como ela aponta, conhecimento suficiente sobre o local e o trabalho que deveria assumir. Essa esperança, no entanto, segundo Kawai, era de "todos os imigrantes"[6]. A maioria deles pensava que conseguiria trabalhar, economizar dinheiro e retornar ao Japão, inclusive seu pai: "Com o passar do tempo, foi-se percebendo que, mesmo trabalhando noite e dia e economizando ao máximo, não havia possibilidade de sobrar algum dinheirinho. Essa dura realidade meu pai descobriu do modo mais difícil"[7]. A pouca quantidade de dinheiro trazida do Japão foi gasta por ele no navio, e os poucos pertences de valor foram vendidos por ele, no primeiro ano no Brasil, para pagar despesas. A partir do segundo ano, a família passa a receber mesada em pagamento ao trabalho e começa a economizar tudo o que pode, mas nunca consegue uma soma suficiente para o sonhado retorno ao Japão.

Ao narrar os eventos relacionados com o segundo ano em que estavam no Brasil, Kawai marca seu discurso com o uso da primeira pessoa do plural, contrastando com o emprego da

---

5. Ibid., p. 74.
6. Id.
7. Id.

terceira pessoa do singular (referindo-se ao pai) que predomina no trecho em que relata o ano da chegada ao país. Igualmente curioso é que, mais uma vez, se confere à figura do pai a carga de tristeza e decepção quando se constata a impossibilidade de retorno ao Japão. A narradora afirma: "desmoronaram o sonho de meu pai. Ainda me lembro bem da expressão do seu rosto, pois só naquele momento ele descobriu que nós nunca mais poderíamos retornar ao Japão"[8]. Note-se que o sonho pertencia especificamente ao pai, já que não se menciona o restante da família, tampouco se insere a narradora. A menção aos outros personagens surge apenas no uso da primeira pessoa do plural em referência ao sonho destruído de retorno, que, para o pai, incluiria toda a família.

Outra figura à qual Kawai atribui o desejo intenso de regresso é a do avô. Conta a narradora que, no dia do falecimento do "querido avô", ouviu-se um barulho incomum no telhado da casa em que eles haviam morado no ano anterior, caso explicado pela avó: "Ele sempre queria voltar ao Japão, tenho certeza de que a alma dele foi direto para o Japão, mas antes deve ter passado na antiga moradia"[9]. A passagem exprime, além da forma peculiar com a qual a avó lidava com a morte, a ideia de que o desejo de voltar ao país natal dizia respeito mais às figuras masculinas da família do que às femininas. O texto, todavia, apenas insinua tal entendimento, na medida em que se expressam, nos excertos em que o assunto se apresenta, somente os pensamentos dos homens (embora surjam, no texto, por intermédio das vozes femininas – a da narradora e a da sua avó).

Deduz-se da autobiografia que os homens tomavam as decisões que influenciariam o destino de toda a família, uma vez que a narradora ressalta a resolução do pai ao tentar uma vida melhor no Brasil e ao firmar o acordo de trabalho. Essa dinâmica de poder permanece nas comunidades japonesas em terras

8. Ibid., p. 74-5.
9. Ibid., p. 67.

brasileiras, embora sobre as mulheres tenha recaído grande parte do trabalho. Conforme Kawai, "naquela época [quando ela se casou] o casamento significava um braço a mais na família [...]. Se a moça era bonita ou inteligente, isso não tinha a mínima importância. O valor da moça era medido pelo peso que ela carregava e a extensão de terreno que capinava num dia"[10]. Ela continua: "Na roça, as mulheres trabalhavam duas vezes mais que os homens, e como trabalhavam! [...] Para as mulheres não havia descanso, ou melhor dizendo, a vida não permitia. Talvez esse excesso de trabalho seja um dos motivos por que as mulheres morriam mais cedo que os homens"[11]. Essas passagens são bastante significativas, visto que problematizam bem o papel das mulheres japonesas nas comunidades fixadas no Brasil: o contexto laboral em que se inseriram acabou por aprofundar o desequilíbrio da divisão de trabalho relacionada com o gênero.

Os trabalhos tradicionalmente atribuídos ao gênero feminino – serviços domésticos e cuidado dos filhos ("mesmo na hora em que os homens descansavam, as mulheres trabalhavam fazendo comidas, lavando roupa e cuidando das crianças"[12]) – seguem, como indica a narradora, a cargo das mulheres. No entanto, o trabalho braçal na lavoura também devia ser executado por elas. A estrutura familiar construída baseava-se, portanto, na capacidade de trabalho das mulheres e na submissão delas às deliberações dos homens: enquanto Mitsuko era solteira, seu pai determinava os rumos que tomaria a família, quando casada, transferiu-se o legado ao marido. O relato de Mitsuko revela que, novamente, não havia diálogo quanto às direções que o casal tomaria: Minoru Kawai não a consultava sobre os atos que influenciariam a vida de ambos. Pouco depois do casamento, ele resolve abandonar a vida na lavoura porque achava que a saúde dele não permitiria muito mais tempo de trabalho no campo, de modo

---

10. Ibid., p. 80.
11. Ibid., p. 80-1.
12. Ibid., p. 81.

que encontra um ofício no escritório da Cooperativa da Primeira Aliança. Essa mudança, no entanto, envolve também Mitsuko:

> Quando nos mudamos para a vila, já havia me arranjado o emprego sem eu saber, para trabalhar como ajudante da cozinha da família BABA, que possuía a única pensão da Primeira Aliança. Entretanto, eu não recebia salário; em vez de pagar para mim, este era descontado para pagar as refeições do meu marido.[13]

Mesmo em um contexto já não diretamente relacionado com a lavoura, as condições de trabalho feminino são precárias, construídas a partir de uma estrutura sociopolítica local que permitia esse tipo de relação "trabalhista" e a conivência do marido de Mitsuko. As relações de poder dentro da família eram continuamente ratificadas pelas atitudes de Minoru: "Quando tudo ia bem, a saúde do meu marido piorou, e ele resolveu mudar-se contra a minha vontade para o município de Guararapes, onde moravam sua mãe e seus irmãos. [...] Enfim, como sempre, ele venceu, e nos mudamos para Guararapes"[14]. O comportamento submisso das mulheres imigrantes parecia ser esperado e incentivado pelos familiares e pela imprensa japonesa no Brasil, como no caso do *Burajiru Jihô*, lançado em 1917, de acordo com Monica Setuyo Okamoto e Yukako Nagamura, e cuja linha editorial era "mais voltada aos interesses da elite nipônica e do Consulado Japonês, os quais incluíam boas relações com o governo brasileiro"[15].

Ana Luisa Campanha Nakamoto afirma que o jornal publicava uma coluna, até a década de 1930, que tratava de questões consideradas adequadas para o público feminino (o cuidado da casa e dos filhos, por exemplo) e parecia centrar-se nas "obrigações femininas para com os vínculos familiares, principalmente

---

13. Ibid., p. 86.
14. Ibid., p. 88.
15. OKAMOTO, Monica Setuyo; NAGAMURA, Yukako. *Burajiru Jihô* (Notícias do Brasil) e *Nippak Shinbum* (Jornal Nipo-brasileiro): os primeiros tempos dos jornais japoneses no Brasil (1916-1941). *Escritos – Revista da Fundação Casa de Rui Barbosa*, ano 9, n. 9, p. 157, 2015.

conjugais, partindo de anedotas com algum tipo de lição moral"[16]. Okamoto e Nagamura chamam a atenção para o foco dado pelo jornal ao público feminino, justificado, segundo elas, pelo fato de

> parte dos problemas no processo de adaptação dos imigrantes japoneses no Brasil estarem relacionados à questão feminina, daí a preocupação do Consulado Japonês em sanar ou ao menos abrandar esse ponto. As esposas dos imigrantes japoneses costumavam ter uma jornada dupla de trabalho, no campo e na casa, sem tempo ou dinheiro para pensarem em si mesmas. Muitas dessas mulheres ainda precisavam aguentar os maus-tratos da sogra ou a violência do marido alcoólatra. As colunas femininas do *Burajiru Jihô* tentam amenizar esses problemas domésticos dando conselhos às mulheres e reanimando-as na execução de suas tarefas diárias.[17]

Ao que parece, a condição feminina denunciada por Mitsuko era efetivamente comum nas colônias japonesas no Brasil: o jornal dedicava parte de seu espaço para tentar apaziguar os conflitos, uma vez que não parecia haver intenção de alterar a dinâmica de poder nas estruturas familiares japonesas. Do mesmo modo que o *Burajiru Jihô* buscava publicar textos otimistas e de incentivo aos imigrantes para que permanecessem no Brasil e superassem suas dificuldades[18], preservando a ordem, a disciplina e a obediência aos propósitos e interesses dos governos japonês e brasileiro, também procurava manter as mulheres japonesas em seu papel social associado ao gênero, a fim de que elas trabalhassem a favor do projeto por eles estabelecido.

---

16. NAKAMOTO, Ana Luisa Campanha. *Representações do feminino na imigração japonesa e okinawana para o Brasil*. Tese (Doutorado em Sociologia). Universidade de São Paulo, 2019. p. 113.
17. OKAMOTO, Monica Setuyo e NAGAMURA, Yukako. *Burajiru Jihô* (Notícias do Brasil) e *Nippak Shinbum* (Jornal Nipo-brasileiro): os primeiros tempos dos jornais japoneses no Brasil (1916-1941), op. cit., p. 160.
18. Ibid., p. 159-60.

Nesse sentido, textos como a autobiografia de Mitusko Kawai contribuem muito para compreender como essa política foi experienciada pelas mulheres que estavam na base de todo o trabalho de implantação das comunidades japonesas no Brasil. Ler essa trajetória na voz de uma delas é de fundamental importância não somente para registrar uma perspectiva feminina sobre os acontecimentos, mas também a fim de compreender como se configuraram as relações de gênero nas famílias imigrantes e quais poderiam ser as consequências disso nas gerações de brasileiras e brasileiros descendentes de japoneses. Mitsuko, ainda que tenha sido obrigada pelas circunstâncias a acatar as decisões do marido, não deixou de apontar os problemas e, com isso, questioná-los. Minoru não é apresentado de forma positiva na maior parte das passagens da obra: "Meu marido, além de não ter tino comercial, não tem ambição, portanto nunca foi de ganhar dinheiro. Entretanto, incrível sorte sempre salvou a vida dele por um triz"[19]. Posteriormente, quando a filha mais velha tinha 6 anos, Mitsuko consegue fazer valer sua vontade: a mudança para a capital de São Paulo a fim de que os filhos pudessem receber a educação necessária e exigida pela escritora.

Outro tema de grande complexidade trazido de modo sucinto pela autobiografia é o da hostilidade contra os imigrantes japoneses durante a Segunda Guerra Mundial. Muitos, apesar de terem chegado ao Brasil antes do início do conflito, sofreram algum tipo de perseguição durante e logo após o seu término. Mitsuko relata o ataque sofrido por seu marido: na época do fim da Segunda Guerra, a família Kawai vivia em uma vila isolada. Certa noite, um grupo de homens chamou Minoru, levaram-no para um terreno baldio e agrediram-no. Ele conseguiu escapar da morte por causa da intervenção do farmacêutico da vila, seu Augusto, que conhecia já toda a família. Armado,

---

19. KAWAI, Mitsuko. *Sob dois horizontes*, op. cit., p. 117.

Augusto dispersou os homens, afirmando que Minoru "é japonês, mas não tem nada com a guerra. Um trabalhador honesto que nunca fez mal a ninguém, chefe de família cuja esposa está em convalescença, com três crianças"[20]. Depois do ocorrido, o médico que tratou do marido de Mitsuko "encaminhou um requerimento para o governo, exigindo indenização"[21]. A falta de respostas ou providências por parte do governo não preocupou Mitsuko, que, em seu relato, evita aprofundar as causas de tal ataque, denominando os homens que cometeram as agressões de "desordeiros" e afirmando que as palavras proferidas por seu Augusto, na noite do ataque, fizeram "a multidão recobrar a consciência"[22].

Esse evento foi registrado na autobiografia como um novo momento de grande dificuldade enfrentado por ela e o marido, sem nenhum tratamento especial, uma vez que não se explicitam os sentimentos possivelmente provocados na família. Mitsuko parece utilizar seu relato como uma maneira de construir uma ponte entre os dois horizontes: narra a trajetória dela e de sua família nos meandros das dificuldades, problematizando sobretudo a questão do papel feminino nessa dinâmica, mas buscando em vários momentos valorizar as experiências e o conhecimento que elas ofereceram. Seu trabalho como jornalista, quando tinha mais de 50 anos, contribuiu ainda mais para a construção desse elo, pois traduzia, para a língua japonesa, clássicos da literatura brasileira (A muralha e O guarani, por exemplo), além de contos infantis e lendas brasileiras. Sua autobiografia termina com a confirmação dessa intenção: "Agora meu desejo é servir no intercâmbio cultural entre o Japão e o Brasil, uma, a terra onde nasci, outra, aquela onde me criei. Os dois países aos quais quero muito bem"[23].

20. Ibid., p. 100.
21. Ibid., p. 101.
22. Ibid., p. 100.
23. Ibid., p. 126.

O intercâmbio entre os dois países não se resolve, efetivamente, apenas por meio das culturas, conforme desejou Mitsuko Kawai, mas textos como o dela contribuem para a reconstrução dos passos iniciados pelos primeiros imigrantes japoneses no Brasil. Os descendentes desses imigrantes, assim como eu, necessitam desse elo, talvez mais do que eles, os primeiros a chegarem, visto que, nesse caminho, foram perdidas as histórias, foram esquecidos os registros e as tentativas desses japoneses e de seus descendentes de iniciarem essa inserção na cultura e na vida brasileiras por meio das palavras. É por meio delas e desses textos que se constroem as identidades e o sentimento de pertencimento não apenas a um povo de origem japonesa, mas àquele que se enraizou em outra parte e que, por isso, adquiriu particularidades e demandas específicas. O relato de Mitsuko Kawai representa, para além de uma parte da história da imigração de famílias japonesas no Brasil, um recorte da construção da trajetória das mulheres japonesas – aquelas que, a despeito de todos os estereótipos ocidentais de subserviência e quietude, acumularam funções fundamentais na sobrevivência de suas famílias (com o cuidado de todos os seus integrantes e com o trabalho na lavoura) e, posteriormente, na integração à sociedade brasileira. São as palavras dessas mulheres que as suas descendentes se esforçam por ouvir, a fim de, a partir delas, reconstruírem seu percurso e seus pensamentos, ressignificando a história e a cultura que se configuraram no momento em que elas decidiram fincar suas raízes no Brasil.

Yonghui Q.

Da diáspora chinesa: uma história sino-carioca

Parte de mim ainda era mantida em cativeiro por forças dominadoras da história, pela vida familiar que me havia traçado um mapa de silêncio, de fala correta. Eu não tinha me libertado totalmente do medo de dizer a coisa errada, de ser punida. Em algum lugar nos recônditos da minha mente, eu acreditava que podia evitar tanto a responsabilidade quanto a punição se não me declarasse uma escritora.[1]

*[...] como é que eu poderia saber, que colocando
a caneta num caderno eu nos resgatava
da extinção?*[2]

O ANO ERA 1995. Dia 1º de outubro, uma tarde chuvosa no Rio de Janeiro, enquanto minha mãe esperava, com certa apreensão, meu pai voltar para casa. Talvez fosse o nervosismo causado pela gravidez em sua última semana, a barriga pesada com uma vida que estava por chegar a qualquer momento. Talvez fosse o nervosismo causado pela chuva, um dos inimigos naturais da cidade do Rio de Janeiro, que, na semana anterior, havia deixado sem luz o pequeno apartamento da família. Minha mãe

---

1. HOOKS, bell. *Erguer a voz*: pensar como feminista, pensar como negra. Tradução Catia Maringolo. São Paulo: Elefante, 2019. p. 37.
2. VUONG, Ocean. *Céu noturno crivado de balas*. Tradução Rogerio W. Galindo. Belo Horizonte: Âyiné, 2019. p. 189.

observava da janela a água escorrendo rua abaixo enquanto esperava o carro de meu pai chegar para levá-la ao hospital. Meu pai chegou tarde, cansado do trabalho e do engarrafamento, e pediu que minha mãe esperasse apenas mais um dia, pois aquele já o castigara o suficiente. Foi apenas na tarde do dia 2 de outubro, com o céu amansado mas ainda indeciso se chovia ou se fazia sol, que eu nasci. O dia anterior fora o aniversário de 46 anos da instituição da República Popular da China, feriado que meus pais não puderam comemorar com a minha chegada. Ou pelo menos é isso que eu me recordo das histórias de infância que minha mãe me contava.

Meus pais partiram de uma cidadezinha portuária na costa sudoeste da China em direção ao Brasil em meados da década de 1980, em busca de melhores oportunidades de vida. Grande parte de minha família paterna havia imigrado para o Rio anteriormente, então haveria uma comunidade e uma rede de apoio para ajudar meus pais a se adaptarem ao Brasil. Mesmo assim, não faltaram problemas. Minha mãe jamais me deixa esquecer quão difíceis foram esses anos iniciais, repletos de pobreza, humilhação e uma hostilidade nem sempre tão velada por parte dos brasileiros.

O Rio de Janeiro é o único lugar que eu conheço o suficiente para chamar de lar, mas eu não sou daqui. Não de acordo com praticamente todas as pessoas brancas que eu já encontrei, de amigos a conhecidos, motoristas e trocadores de ônibus, funcionários de banco, secretárias na sala de espera de consultórios médicos, professores e colegas de escola, jornaleiros, feirantes de bairro, bartenders em baladas, atendentes de telemarketing, garçons, porteiros, desconhecidos na rua que passam por mim e gritam, imploram que, pelo amor de Deus, eu volte para minha terra, porque eu não sou daqui e nunca vou ser.

Há também, é claro, aqueles mais "educados", que me perguntam, com um misto de curiosidade mórbida e fiscalização aduaneira, de onde eu sou. De onde eu *realmente* sou, porque, com um rosto como o meu, certamente não poderia ser natural do Rio de Janeiro. Há ainda os que elogiam, maravilhados, o meu português: minha bela pronúncia, meu rico vocabulário, meu sotaque carioca de nascença. São irmãos daqueles que, quando digo que não sei falar mandarim, acreditam que seja não só uma pena como também um grande desperdício que, com um rosto como o meu, eu não possua o idioma que eles tanto cobiçam para seu currículo.

Eu sempre soube que era diferente, mas não conseguia explicar como nem por que essa diferença me marcava aonde quer que eu fosse, pela maneira com que as pessoas me olhavam, com um misto de espanto e nojo. Uma vez viajei com meus pais para Penedo, no interior do estado do Rio, e tivemos de parar em um shopping-galeria à beira da estrada para utilizar o banheiro. Um casal de brancos idosos que passeavam por ali, ao nos verem, pararam com os olhos arregalados de perceptível espanto e exigiram saber, em voz alta e para ninguém especificamente, "O *que* vocês são?". Ser chinês era um fato tão grotesco assim? Parecia que eu precisava estar sempre alerta para o distúrbio que minha presença causava, para justificar o mero fato de existir. Acabei me acostumando a habitar um corpo invasível.

Pisava em ovos mesmo nos lugares que deveriam me oferecer cuidado: no médico, na escola, na psicóloga. Em casa. A escola é um episódio à parte. Sempre me foi exigido um ótimo desempenho escolar, de uma cobrança tal que, mais tarde, acabei desenvolvendo uma obsessão em encontrar erros na minha conduta. Era e continuo sendo a primeira pessoa a me julgar e a me repreender pelos esforços patéticos e desleixados de manter uma média perfeita, única possível para os meus pais. Eu me tornei meu próprio carrasco, para me condenar mesmo se eles não estivessem presentes.

Ao mesmo tempo, a escola era uma oportunidade para me provar. Será que, se me mostrasse o mais exemplar dos alunos e fosse útil para a sociedade, eu conseguiria, enfim, espantar aqueles olhares tão desaprovadores da minha existência? Eu me destacava dos demais, seja por minhas notas, seja por meu rosto. Dentre os quinhentos alunos do meu ensino médio, havia apenas três de ascendência chinesa (e leste-asiática, de maneira geral). Durante todo o fundamental, havia apenas eu. Mesmo assim, era mais rotineiro que me chamassem de "China" ou "Japa" do que pelo meu nome de registro em português. Eu não tinha o direito de ser tratado como um igual.

Fui alvo de bullying minha adolescência inteira, mas nunca tive permissão de denunciar essas humilhações, que não eram poucas nem secretas. Meus colegas brancos não tinham pudor de fazer todo tipo de comentário sobre a minha condição anômala de ser chinês, às vezes com o silêncio conivente dos professores, às vezes com sua aprovação discreta. Mesmo o diretor da escola normalizava esses comportamentos. "Você não pode se deixar afetar por esses comentários, você é melhor do que eles", era o que ele me dizia. Mas ele jamais desmentiu aquelas depreciações sobre a minha chinesidade ou me garantiu que algum dia eu pararia de ouvi-las. Para ele, bastava que eu fosse um rosto para estampar na lista de aprovados em universidades públicas. Mas não nas propagandas sobre as vantagens do colégio que frequentei, onde alunos sorridentes posavam em caloroso companheirismo para transmitir toda a felicidade e acolhimento daquela instituição. Esse papel estava reservado para os brancos que praticavam bullying comigo.

A violência acabou se tornando um lugar-comum em minha vida, tão natural e casual quanto o próprio ato de respirar. Mas existe um episódio em especial que me marcou. Uma vez um colega branco me abordou, de forma bastante honesta, para me informar de que chineses nem sequer eram seres humanos. Quando fui relatar isso para uma amiga branca que tínhamos em comum, na esperança de que ela pudesse tanto me confortar quanto me defender desses ataques, ela me negou. "Meninos são meninos, você não pode ficar se importando com as coisas que eles falam." Era isso que todos sempre tentavam me dizer e que eu demorava a entender: a violência subjetiva de cunho racial era compreensível e permissível. A minha dor não era.

Eu deveria ser obediente e inabalável, pois jamais poderia esperar ou exigir que um branco me visse como um ser humano. Eu até poderia tentar provar que o era, e eles gostavam de quando eu tentava. Quando, ao invés de me sentir ofendido por piadas relacionadas a "pastel de flango", carne de cachorro ou minha feiura inerente (pois, ora, como eu poderia esperar ser uma pessoa bonita? Talvez bonita *para uma pessoa chinesa*, mas bonita, apenas bonita, estava fora de questão), eu ria junto ou, às vezes, era a primeira pessoa a me depreciar, meus amigos brancos pareciam se sentir acolhidos e se tornavam mais receptivos. Finalmente eu havia entendido meu lugar. Meus olhos pequenos, rasgados e de uma suposta visão deficitária finalmente estavam olhando para mim mesmo da maneira certa. Passei a me olhar como os brancos me olhavam e a me tratar como os brancos me tratavam: com uma tolerância volátil, temperamental, curta e impregnada de um ódio disfarçado de racismo recreativo[3]. Eu era o parquinho favorito deles enquanto meu sorriso amarelo não enferrujasse.

Em 2014, entrei no curso de Psicologia que tanto sonhava desde os meus 12 anos e quis acreditar que, a partir dali, as coisas seriam diferentes. É claro que eu continuava (e continuo, pelos últimos seis anos, ao menos) sendo a única pessoa leste--asiática ou chinesa do instituto inteiro, mas nenhuma solidão que eu já não conhecesse. Foi mais ou menos nessa época que comecei a estudar sobre feminismo, e parecia que eu tinha encontrado uma peça que faltava para entender minha vida. Mas a ingenuidade não durou muito tempo. O feminismo a que eu

---

3. MOREIRA, Adilson. *Racismo recreativo.* São Paulo: Pólen, 2019.

tive acesso não incluía debates raciais. Não era muito mais que uma versão glamorizada de liberalismo, na qual imperava o empoderamento individual e meritocrático acima de qualquer contexto social. Isso me fez lembrar de quando aquele diretor falou que meu problema não era a violência que eu sofria, mas a forma como eu lidava com ele. A violência poderia continuar, e continuaria, mas quem sabe se eu vestisse a camisa *girl power* branca eu conseguisse enfrentá-la.

Também foi difícil para mim entender o que era essa sororidade tão comemorada nos círculos feministas que eu frequentava. Na minha experiência de vida, jamais senti esse companheirismo por parte de minhas amigas do gênero feminino, pois a maioria delas, brancas, me dispensava o mesmo menosprezo racial, em maior ou menor grau. Os debates de gênero se referiam à mulher em termos universais, como se esta fosse uma categoria unificada e uniforme de experiências do gênero feminino. Mas, na verdade, abordavam estritamente mulheres brancas, cis, heterossexuais, de classe média, nacionais e ocidentais, cuja emancipação nem sempre foi construída para incluir minorias raciais, pessoas LGBTQIA+, a classe trabalhadora ou imigrantes. Eu sofri assédio sexual, ouvi sussurros invasivos na rua e conheci o paternalismo masculino. Mas como eu poderia adentrar esse debate sem mencionar que metade das vezes em que me assediaram foi por um desejo fetichista sobre o meu corpo amarelo? Ou que os sussurros às vezes eram gritos e insultos racistas e xenofóbicos? Ou que mesmo mulheres tendiam a me infantilizar por acreditarem que minha cultura era mais opressora e retrógrada que a delas e que era sua missão me libertar?

A faculdade contribuiu muito para minha formação intelectual crítica e me despertou para questões em que eu jamais havia pensado anteriormente. Mas eu comecei a me dar conta de que a branquitude não havia deixado de existir só porque meus colegas e professores já não me desprezavam tão diretamente. Lembro de contar sobre esses e outros episódios aos meus amigos da faculdade, que ouviam, consternados, todas as violências das quais eu havia sido vítima por ter ascendência chinesa. "Nossa, mas você só conheceu pessoas horríveis!", eles me respondiam, como se tudo que eu lhes relatava fosse responsabilidade de atitudes individuais de pessoas mal-educadas, e não de uma ideologia que sempre privilegiou e normatizou a experiência da raça branca como o padrão de normalidade[4], do qual eu divergia. Talvez para meus amigos eu só tivesse a constante má sorte de sempre me cercar de pessoas ruins, todas coincidentemente brancas como eles mesmos. Mas não acho que eles jamais tenham parado para pensar que todas essas pessoas horríveis que eu conheci podiam ser um reflexo deles mesmos. Ou que podiam ser seus amigos, familiares, colegas de trabalho, amantes. Parece que o pacto narcísico da branquitude[5] sempre lhes garantiria a mesma inocência e impunidade de meus algozes.

Existem muitas formas de morrer. A morte do corpo físico é só uma delas. Na faculdade, eu morri e continuo a morrer, tanto existencial quanto epistemologicamente, todas as vezes em que a questão racial não é abordada. A Psicologia enquanto ciência se preocupa tanto em combater a narrativa da universalidade das experiências humanas, que parece esquecer, continuamente, que alguns de nós nunca fomos sequer considerados seres humanos. O conceito de raça foi criado exatamente para comprovar a superioridade branca sobre as demais raças. Amarelos, negros, marrons, indígenas e todas as outras classificações criadas eram apenas uma categorização das diferentes formas de inferioridade dos povos não brancos, passíveis de exploração, escravização, colonização e genocídio por parte

---

4. SCHUCMAN, Lia Vainer. *Entre o "encardido", o "branco" e o "branquíssimo"*: raça, hierarquia e poder na construção da branquitude paulistana. Tese (Doutorado em Psicologia Social). Universidade de São Paulo, 2012.
5. BENTO, Maria Aparecida da Silva. *Pactos narcísicos no racismo*: branquitude e poder nas organizações empresariais e no poder público. Tese (Doutorado em Psicologia Escolar). Universidade de São Paulo, 2002.

do homem branco europeu[6]. O colonialismo deixou e continua deixando marcas psíquicas em todos nós, mas parece que não há espaço para esse reconhecimento e essa discussão dentro da academia. Isso quando falamos apenas de raça, para não mencionar identidade de gênero, orientação sexual, classe social, dentre tantas outras categorias que se interseccionam para formar nossas experiências subjetivas. Parece que elas não são tão importantes assim de se estudar quando a discussão da diversidade vai para além de uma alegoria liberal e entra na crítica aos sistemas que continuam a nos oprimir.

Minhas perspectivas acadêmicas e subjetivas se ampliaram quando conheci o feminismo e a militância asiático-brasileira por meio de grupos e páginas de Facebook, por volta de 2017. Sou uma pessoa muito introvertida e não gosto de redes sociais de maneira geral, mas adorava acompanhar as discussões que ali se desenvolviam. Parecia que, enfim, havia encontrado pessoas com vivências similares às minhas, de microagressões (ou racismo cotidiano[7]) a questões identitárias e resgate de nossas ancestralidade apagadas ou negadas pelos processos de embranquecimento e assimilação. Mas, de alguma forma, continuava me sentindo diferente. A maioria das pessoas que conheci são amarelas de ascendência japonesa e/ou okinawana, netos e bisnetos de imigrantes que haviam chegado a São Paulo no entreguerras, mais ou menos entre as décadas de 1930 e 1940. Meus pais eram imigrantes chineses que haviam chegado ao Rio de Janeiro nos anos 1980, do meio para o fim da ditadura militar. Em vários pontos, nossas histórias se desencontravam.

Devo confessar que, até certa idade, eu tinha um encantamento em relação à cidade de São Paulo, e, de fato, esse foi um dos lugares que mais visitei nas poucas vezes que viajei para fora do Rio de Janeiro. Gostava muito de frequentar o bairro da

---

6. BETHENCOURT, Francisco. *Racismos*: das Cruzadas ao século XX. São Paulo: Companhia das Letras, 2018.
7. KILOMBA, Grada. *Memórias da plantação*: episódios de racismo cotidiano. Tradução Jess Oliveira. Rio de Janeiro: Cobogó, 2019.

Liberdade, onde havia vários estabelecimentos que comercializavam produtos leste-asiáticos (principalmente japoneses), de papelaria a comida, em quantidade e preço muito mais acessíveis do que no Rio. Se apenas no bairro da Liberdade havia tantas mercearias leste-asiáticas que nem sequer consigo contabilizar, na cidade do Rio de Janeiro inteira tenho conhecimento de apenas três. Por mais insistentes que meus pais fossem em manter nossos hábitos alimentares em casa de acordo com a tradição culinária chinesa, não foi uma tarefa fácil nem barata. Viver minha cultura e meus costumes custava, entre os brancos, minha saúde mental e minha aceitação social; entre os chineses, um gasto tão alto, que minha mãe continuamente me repreendia por eu querer comer os biscoitos da minha infância.

Minha relação com a comida é outra história à parte. A comida une a comunidade chinesa, seja entre nossas famílias, seja na única associação chinesa do Rio de Janeiro. Eu aguardava ansiosamente a festa de Ano Novo Lunar, pelas celebrações e pela fartura de pratos que não teria a oportunidade de comer de novo até o próximo ano. Por desavenças internas da organização, meus pais deixaram de frequentar a associação enquanto eu ainda era criança. A comida e a comunidade ficaram restritas ao ambiente familiar e aos poucos restaurantes onde ainda há cardápios exclusivamente em mandarim e onde a comida chinesa é mais caseira do que a dessas cadeias de restaurantes orientalistas nas quais você só vê nossa comida, mas não vê a gente. Parece que chinês bom é chinês num prato, não no assento ao lado. Quando eu era criança, lá pelos meus 8 anos, costumava levar pequenas marmitas de arroz e comidas chinesas diversas para o lanche da escola. Um dia, um colega olhou minha lancheira e comentou como minha comida era estranha e fedia. Nunca mais levei comida chinesa para a escola. Quanto a esse colega, talvez esteja por aí viajando o mundo, fazendo turismo gastronômico étnico ou, todo fim de semana, pedindo *delivery* de algum restaurante leste-asiático genérico para comer a comida que agora já não fede, porque não é mais minha.

Eu voltava com frequência a São Paulo e à Liberdade pela comida. Para poder comer, comer muito, comer com variedade e comer barato, sem ter minha comida julgada. Voltava ao Rio de coração partido e não conseguia nem explicar o motivo. Mas lembro de pensar diversas vezes que São Paulo foi o único lugar do Brasil onde eu me senti um ser humano. Não era mais o único leste-asiático na rua, no quarteirão, no bairro ou na cidade, e as pessoas não me olhavam como me olhavam no Rio, quando se davam ao trabalho de olhar. Estive em São Paulo no final de 2017 para prestar vestibular novamente, em meio ao período de greve mais tenebroso da Universidade do Estado do Rio de Janeiro (UERJ) nos últimos anos, sonhando com uma aprovação que, quem sabe, faria com que eu nunca mais precisasse ir embora. No caminho para o local da prova, calouros de faculdade me abordaram, pedindo que eu contribuísse para suas chopadas, e, ao ouvirem meu sotaque, perguntaram se eu era do Rio. Talvez tenha sido um dos poucos momentos em que não me senti mal por me identificarem como um estrangeiro. Em São Paulo, eu era do Rio. No Rio, eu era da China.

Estudos apontam que existem aproximadamente de 200 mil a 300 mil chineses e seus descendentes morando no Brasil, a grande maioria em São Paulo[8]. Mas eu não sou parte desse último grupo. Minha família inteira mora no Rio de Janeiro. No fundo, eu sabia que não encontraria a minha história em São Paulo. Não me classifiquei em nenhuma das provas e, assim, voltei para o Rio e dei início ao meu trabalho de conclusão de curso sobre a diáspora chinesa.

---

8. COSTA, Cristiane; BORBA, Cibele Reschke de. *China Made in Brasil*. Rio de Janeiro: Babilônia Cultural, 2015; LEE, Ana Paulina. *Mandarin Brazil*: Race, Representation, and Memory. Stanford: Stanford University Press, 2018.

O Rio de Janeiro foi o primeiro lugar do Brasil a receber imigrantes chineses, em 1814, para trabalhar na cultura de chá que D. João VI pretendia introduzir na cidade. Essa empreitada, entretanto, foi um fracasso não só pelas condições impróprias de clima e solo, mas também pela inexperiência desses trabalhadores e pelos recorrentes maus-tratos a que eram submetidos, o que fez com que fugissem das fazendas.

A ideia do "perigo amarelo", de uma periculosidade da raça amarela representada tanto pelo expansionismo japonês quanto pelo sentimento antichinês, estava impregnada no imaginário social que recebeu os chineses no Brasil. Vários registros da época exacerbavam a moralidade corrupta, degenerada, suja e indisciplinada da raça e da cultura chinesas, uma civilização milenar cujo brilho se perdia na inércia inerente à sua raça[9]. Mais tarde, a partir da década de 1850, essas mesmas ideias foram evocadas para repudiar a introdução da mão de obra chinesa para substituir a negra escravizada. Seguindo a lógica das teorias raciais que ditavam que o contato com raças inferiores acabaria por degenerar a raça branca, as elites agrárias acreditavam que os chineses viriam, como uma doença contagiosa, para contaminar o Brasil e levá-lo ao declínio[10]. Não muito diferente da lógica por trás de o novo coronavírus ser popularmente chamado de "vírus chinês" em razão da crença de que sua origem estaria associada aos hábitos alimentares rudimentares e pouco higiênicos da cultura chinesa.

Apesar da existência de políticas migratórias xenofóbicas e racistas para impedir a entrada desses trabalhadores entre o final do século XIX e início do XX, muitos deles acabaram sendo traficados para trabalhar em condições análogas à escravidão nas colônias europeias, inclusive no Brasil. O *coolie*, esse trabalhador chinês desqualificado e levado à força pelos

---

9. DEZEM, Rogério. *Matizes do amarelo*: a gênese dos discursos sobre os orientais no Brasil (1878--1908). São Paulo: Humanitas, 2005.
10. Ibid.; LEE, Ana Paulina. *Mandarin Brazil*: Race, Representation, and Memory, op. cit.

colonos que o recrutavam, sofria todo tipo de violência no Brasil, de castigos físicos a descumprimento de contratos, ficando sem receber salário, sendo obrigado a habitar locais precários. Além disso, era socialmente estigmatizado e hostilizado pelos trabalhadores brasileiros.

Em momento algum houve, mesmo entre os favoráveis à mão de obra chinesa, o desejo de que esses trabalhadores se assimilassem à sociedade brasileira ou se integrassem ao projeto de identidade nacional em construção. Sua estada sempre foi planejada para ser transitória e temporária, conquanto eles pudessem enriquecer o Brasil, para em seguida serem descartados como objetos que já haviam cumprido seu uso. Talvez isso explique, por exemplo, o motivo pelo qual, todas as vezes em que uma pessoa branca "amigável" me perguntava de onde eu *realmente* era, seu rosto se iluminava quando eu dizia que era da China. "Vocês são um povo trabalhador, vieram pra levantar o Brasil!", elas me diziam, sem nenhuma garantia de que eu seria bem-vindo após meu expediente.

Mesmo sem a existência de um processo imigratório chinês coeso e em massa, como foi a imigração japonesa, o discurso antichinês permaneceu no imaginário político e social brasileiro. Seja na imprensa, no teatro ou na literatura nacional, o chinês era retratado sob um exotismo objetificante, sem interioridade nem desenvolvimento subjetivo, preenchendo o cenário como um adereço para os personagens brancos ou um perigo para a estabilidade nacional[11].

Falhado o projeto de embranquecer o país pela imigração europeia, o Brasil passou a capitalizar-se sob a imagem de uma brasilidade mestiça a partir da era Vargas, forjando um nacionalismo oriundo da miscigenação branca com a diáspora negra africana e os povos indígenas. Toda essa comemoração à miscigenação, é claro, romantizava a violência colonial sobre corpos

11. Ibid.

negros e indígenas, principalmente os das mulheres, além de excluir o elemento chinês (e amarelo, de maneira geral) mais uma vez. O chinês era o "Outro inescrutável e inassimilável", incompatível com a democracia racial e a brasilidade mestiça[12]. Mais tarde, com o estabelecimento da República Popular da China em 1949, os chineses também passaram a representar o "perigo vermelho" da ideologia comunista, grande rival das potências capitalistas liberais, o temível vilão a ser derrotado pelas heroicas democracias ocidentais pós-nazismo. O mundo livre não tinha e não poderia ter o meu rosto.

Em 2018, compareci a um cinedebate na minha faculdade, pois havia me interessado pelo filme argentino que seria exibido, chamado *Um conto chinês*. Nele, acompanhamos um homem branco, chamado Roberto, que um dia se depara com um imigrante chinês, chamado Jun, que não fala uma palavra de espanhol e necessita de ajuda para encontrar seu tio que mora na Argentina. O tema inicial, proposto pelas debatedoras, era discutir como o encontro com o Outro proporciona transformações afetivas em nós mesmos, mas o que eu presenciei foi a maneira como Roberto submetia Jun a todo tipo de constrangimento pela incompreensão de seu idioma e de sua condição de imigrante.

Abandoná-lo em meio a uma estrada numa noite de chuva torrencial ou trancá-lo em um quartinho minúsculo, amontoado e sujo, suscitava a risada da plateia majoritariamente branca ao meu redor, ao mesmo tempo que me causava um enorme mal-estar por esse tipo de tratamento me ser familiar. O personagem de Jun era ingênuo como uma criança e causava, concomitantemente, empatia paternalista e alívio cômico condescendente na plateia sempre que ele aceitava, mesmo sem entender, os abusos que Roberto lhe infligia ao tentar "ajudá-lo". Mas acho que o que mais me causou uma sensação de

---

12. Ibid.

isolamento foi que, nas poucas partes em que Jun falava (em mandarim, é claro), não havia legenda. O resto do filme estava todo legendado em português, para a compreensão dos espectadores, o que tornava claro que a história de um imigrante chinês não é aquela com que as pessoas devem se identificar.

O debate que se seguiu foi tenso, pois fui a primeira pessoa a falar e a questionar o conteúdo do filme e o motivo de, apesar de o título fazer referência a Jun, ele não apenas ser tratado como um artifício para a história de um personagem branco como também, ao final, ser completamente esquecido por Roberto, depois de tê-lo "auxiliado" tanto em seu desenvolvimento pessoal. Guardadas as devidas diferenças culturais, históricas e sociais entre Argentina e Brasil, o filme parecia retratar uma realidade familiar o suficiente para que os brancos da plateia se identificassem com o humor "sutilmente" excludente em relação a um imigrante chinês. Com o que eu, a única pessoa chinesa da sala, deveria me identificar?

A desumanização e a redução de pessoas racializadas à condição de objeto é consequência do sistema colonial e racista, que, além de nos impor uma hierarquização racial externa, nos obriga a introjetar essa lógica a ponto de nos relacionarmos conosco mesmos como se fôssemos objetos[13]. Durante toda a vida eu havia aprendido que essa era a única forma de olhar pra mim mesmo, a qual todas as mídias reforçavam: eu era um objeto exótico que traria alguma cor para a vida sem graça de uma pessoa branca. Sem vontade ou propósito a não ser manuseado de maneira ortopédica pela branquitude.

Há uns anos atrás fui ao cinema e, enquanto aguardava o filme começar, assisti a alguns trailers de filmes que seriam lançados dali um tempo. Um deles, uma produção nacional chamada *Made in China*, sobre o comércio no Saara, no centro da cidade do Rio, e o mistério da abundância de produtos chineses.

---

13. KILOMBA, Grada. *Memórias da plantação*: episódios de racismo cotidiano, op. cit.; FANON, Frantz. *Pele negra, máscaras brancas*. Tradução Renato da Silveira. Salvador: EdUFBA, 2008.

O humor inteiro do filme era centrado na desumanização de pessoas chinesas, e havia uma fala da personagem principal em que seu desprezo era direcionado em especial a uma mulher chinesa: "Uma mulher como eu só tem uma no mundo, agora, que nem essa aí tem mais de 600 milhões só na China". De que maneira isso difere do orientalismo que moldou a visão ocidental sobre o continente asiático, reduzindo inúmeros povos e culturas a uma massa amorfa, indiferenciável e domesticável sob o termo "oriental"[14]?

Também fica clara a maneira com que a feminilidade branca é colocada em destaque privilegiado sobre a feminilidade chinesa, esta um produto menos valioso por ser massificado e genérico, em contraste com a singularidade ocidental da mestiçagem brasileira herdeira da branquitude. Ao mesmo tempo, em diferentes mídias atuais, existe um enorme fascínio e cobiça fetichista em relação ao corpo amarelo, principalmente aqueles lidos como femininos e submissos. A raça virou uma *commodity* para paladares brancos, que buscam consumir cultura leste-asiática (como anime/mangá e k-pop) para temperar a vida com um sabor exótico e relembrar quem é o sujeito que consome e quem é o objeto consumido[15]. Diversas vezes em que saí para me divertir com minhas amigas em baladas no Rio de Janeiro, homens brancos me abordaram e "flertaram" comigo dizendo que eles mesmos ou amigos próximos "curtiam uma oriental" ou que "nunca haviam ficado com uma oriental e queriam experimentar". O desejo colonial reduziu o meu corpo a um prato étnico a ser experimentado por mera curiosidade gastronômica.

Fazer parte da diáspora chinesa no Rio de Janeiro sempre me impôs restrições subjetivas. Se, por um lado, me era tanto ressentida quanto cobrada uma *performance* de chinesidade

---

14. SAID, Edward. *Orientalismo: o Oriente como invenção do Ocidente*. Tradução Rosaura Eichenberg. São Paulo: Companhia das Letras, 2007.
15. HOOKS, bell. *Olhares negros: raça e representação*. Tradução Stephanie Borges. São Paulo: Elefante, 2019.

que me localizasse sempre como um corpo estranho à sociedade brasileira, por outro, dentro de casa, eu tive uma criação chinesa muito tradicional. Minha família esperava que eu conservasse valores e costumes chineses mesmo morando no Brasil, como se o motivo para nossos conflitos culturais e geracionais fosse minha inadequação ao modelo do que eles acreditavam que uma pessoa chinesa deveria ser.

O Estado chinês tem seus próprios interesses políticos de criar uma coesão entre a diáspora chinesa ao redor do mundo e uma identidade nacionalista centrada na China continental, de forma que mesmo nossa "pátria étnica" nos exporta sua própria concepção de chinesidade[16]. Desse ponto de vista, a diáspora é construída a partir de um lugar de inautenticidade em comparação com o modelo chinês nacional, o que apaga nossas histórias de trauma e sobrevivência e as formas que encontramos de criar nossos próprios sentidos de chinesidade.

As tensões identitárias da diáspora são um assunto muito mais vasto do que eu poderia almejar abordar agora que o capítulo vai chegando ao fim. Mas desejo deixá-las como uma pausa para reflexão, muito mais do que como um encerramento do assunto. Talvez seja oportuno que a falta de espaço me impeça de esgotar ou cristalizar um processo de (re)construção identitária que trilho há pouquíssimo tempo e que, a cada novo passo, me revela uma nova dimensão, mais complexa e mais rica de possibilidades, agora que a branquitude já não é mais uma.

Durante toda a elaboração do texto deste capítulo, eu duvidei de mim. Duvidei da importância de contar minha história individual e da minha capacidade de somar a uma história coletiva. Mas, se eu cheguei até aqui (e se você que lê também chegou), talvez seja porque há poder em registrar estas palavras. Não um poder absoluto ou autoritário, mas um poder

---

16. LOUIE, Andrea. Re-territorializing Transnationalism: Chinese Americans and the Chinese Motherland, *American Ethnologist*. v. 27, n. 3, p. 645-69, 2000.; ANG, Ien. On Not Speaking Chinese: Diasporic Identifications and Postmodern Ethnicity, *On Not Speaking Chinese:* Living between Asia and the West. Londres/Nova York: Routledge, 2001. p. 21-36.

transformativo e emancipatório de uma luta e uma história que não terminam neste ponto final.

O fim deste capítulo não é um fim, mas um começo. Uma labareda para manter viva a história da diáspora chinesa que começou com meus avós paternos, foi transmitida aos meus pais e se ramificou em mim, para que jamais sejamos esquecidos.

Nós não vamos nos extinguir.

Eu prometo.

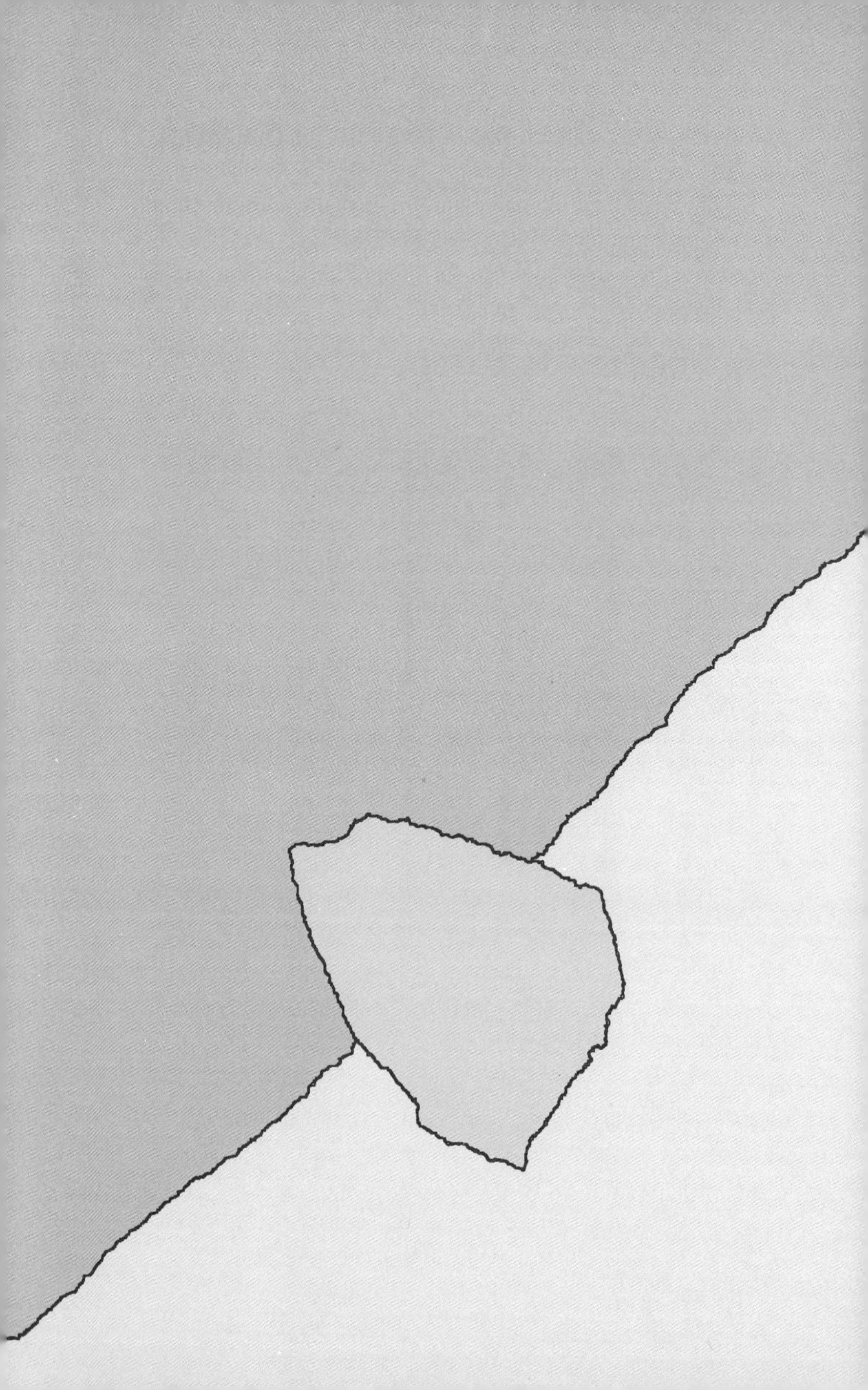

Raquel Basilone Ribeiro de Ávila

Feminismos e BDSM: racializando o debate

Introdução

COMEÇO ESTA ESCRITA ME apresentando. Faço uma apresentação que explicita minha posição, contestando a racionalidade universal e "de cima" (cuja metáfora diz do olhar que enxerga de maneira diferente conforme se posiciona do lado de "cima" ou de "baixo"), afirmando uma visão feminista da objetividade, tal qual apresentada por Donna Haraway[1]. Essa postura questiona certos conhecimentos que foram historicamente privilegiados, especialmente na academia, em um caráter de neutralidade duvidosa que se afirmava com o poder de decidir a verdade sobre o mundo. Sou uma pesquisadora branca, cisgênera, lésbica, feminista, praticante de BDSM e militante em uma ONG LGBTQIA+. Também é importante dizer que este trabalho se insere em uma pesquisa de mestrado em Psicologia Social e Institucional da Universidade Federal do Rio Grande do Sul cujo tema é a produção dos estímulos nomeados como dor no BDSM, em diálogo com a comunidade de praticantes de Porto Alegre/RS, estendendo-se para outras regiões com o contato possibilitado pela internet. Tal localização mostra que ocupo redes de relações com alcances particulares, mas também com desafios específicos sobre as interlocuções para o tema proposto. A parcialidade, aqui, expõe também um compromisso de responsabilidade e ética com os saberes que cria.

A sexualidade está no foco de disputas de direitos e de relações com o corpo, algo que fica bastante evidente nas chamadas "guerras do sexo estadunidenses". Nomeadas desse modo pelas discussões bélicas travadas entre grupos feministas com posicionamentos conflitantes, tais embates, que marcaram a década de 1980 nos Estados Unidos, foram intensos. Não cabe aqui retomar todos os debates, sob o risco de simplificar os argumentos, perdendo nuances importantes de temas como pornografia, trabalho sexual e BDSM. Eram posturas teóricas que se polarizavam em, por um lado, uma tradição que defendia a livre expressão sexual (também nomeadas como pró-sexo) e, por outro, as que achavam que certas práticas sexuais eram sinônimo de opressão em uma sociedade misógina (também denominadas radicais)[2]. Embora o BDSM não seja necessariamente feminista, está

---

1. HARAWAY, Donna. Saberes localizados: a questão da ciência para o feminismo e o privilégio da perspectiva parcial. *Cadernos Pagu*, n. 5, p. 7-41, 1995.
2. DUARTE, Larissa C. *Pornotopia*: histórias, desafios e reimaginações da pornografia feminista. Dissertação (Mestrado em Antropologia Social)–Universidade Federal do Rio Grande do Sul, 2014.

no centro desse debate, pois mobiliza práticas (erroneamente) associadas à violência, tema que impulsiona os feminismos. Os argumentos levantados na época geraram intensos atritos entre feministas, especialmente as lésbicas, cujos posicionamentos em diferentes grupos demarcaram suas críticas de maneira bastante distinta. Por isso, recuperar os argumentos e as vozes das feministas negras que não foram ouvidas na efervescência daquele período pode trazer atualizações a respeito de negociações de poder, entre perigo e prazer, na sexualidade.

Ainda que o foco do recorte aqui apresentado seja trazer as vozes de feministas negras para o debate, a complexidade do tema permite ampliar as reflexões, pois tratar do consentimento como base dessas práticas sexuais envolve pensar em assimetrias sociais, vulnerabilidades e agência dos corpos envolvidos em tais experiências. Ao mesmo tempo, considerar tais práticas como potencialmente perturbadoras de determinadas normas de gênero, de raça e de classe, mediante uma tensão ambígua entre risco e prazer, mostra a complexidade das experiências que emergem nesse contexto. Não pretendo, aqui, estabelecer a verdade final dos fatos, mas sim elaborar uma versão que sustente os paradoxos e deixe também lugar para dúvidas que inspirem interesses, experiências e teorias comprometidas com as realidades em que se engajam.

BDSM

A NOMEAÇÃO DOS TERMOS "sadismo" e "masoquismo" encontra-se entrelaçada aos seus enquadramentos no manual psiquiátrico. O termo "sadismo" aparece pela primeira vez em 1834, no *Dictionnaire universel de la langue française*, de Pierre-Claude-Victor Boiste[3], inspirado na obra do Marquês de Sade (1740-1814). Posteriormente, em 1886, o termo reaparece na primeira

---

3. LEITE JR., Jorge. *A cultura S&M*. Monografia (Trabalho de Conclusão de Curso em Ciências Sociais), Pontifícia Universidade Católica de São Paulo, 2000.

edição de *Psychopathia sexualis*, de Richard von Krafft-Ebing, junto com "fetichismo" e "masoquismo", fazendo referência ao autor da literatura europeia Leopold von Sacher-Masoch (1836-1895)[4]. Nesse momento, a medicina condenava toda sexualidade que não fosse reprodutiva. É nesse contexto que o sadismo e o masoquismo entram para o rol das perversões. Os nomes de ambos os autores da literatura foram utilizados à sua revelia e encontram-se, ainda, inscritos na *Classificação estatística internacional de doenças e problemas relacionados com a saúde*, 10ª revisão (CID-10), sob o código F 65.5 (e ainda que a 11ª revisão (CID-11) tenha retirado tais termos, por conquista do Movimento Revise F65[5], só será publicada em 2022), e no *Manual diagnóstico e estatístico de transtornos mentais*, 5ª edição (DSM-5).

A noção de BDSM aprendida na convivência entre praticantes, na leitura de manuais disponíveis *on-line* e nas interações em redes sociais, que coincide com os estudos acadêmicos, define-o como um acrônimo em que BD se refere aos jogos de *bondage* e dominação, DS, à dominação e submissão e SM, ao sadismo e masoquismo. Desse modo, o sadomasoquismo, ou BDSM[6], pertence a um universo mais amplo denominado *kinky sex*[7], tendo como corte distintivo a erotização do poder, que é verticalizado e negociado. Nesse contexto, poder é utilizado no sentido de hierarquia, cuja contratualização, ao mesmo tempo que reforça a consensualidade, implica a verticalização da autoridade envolvida. Assim, praticantes são *Tops* e *bottoms*, além de *Switchers*[8], que podem ocupar qualquer um desses papéis,

---

4. KRAFFT-EBING, Richard von. *Psychopathia sexualis*: as histórias de caso. Tradução Claudia Berliner. São Paulo: Martins Fontes, 2001.
5. O Movimento Revise F65 conta com pesquisadores e pesquisadoras do mundo inteiro, tendo na dianteira Odd Reiersol e Sven Skeid, noruegueses que militam pela causa há mais de três décadas, pautando-se na defesa dos direitos humanos e da liberdade sexual.
6. Uso "BDSM" e "sadomasoquismo" alternados ao longo do trabalho sem significar distinção específica entre as nomeações.
7. *Kinky sex*, deliberadamente não traduzido pela insuficiência de uma palavra em português que alcance sua abrangência, poderia ser compreendido como um amplo leque de fetiches, fantasias e/ou perversões. Jorge Leite Jr., em *A cultura S&M*, op. cit., aborda esse universo de práticas desviantes das "normais" como contraponto às formas de sexo convencionais, denominadas "baunilha".
8. As diferenças hierárquicas são reforçadas através da escrita, com maiúscula para se referir a papéis que estão na posição de *Top* e minúscula, para papel de *bottom*. *Switcher* é a pessoa que pode assumir uma ou outra posição, negociando conforme a circunstância e pessoa, sendo grafada com maiúscula.

conforme a relação. *Top* é quem assume o papel que exerce controle (tendo várias nomeações mediante as especificidades que possuem no jogo, como Sádica/o, Dominador/a, Rainha, Mestre etc.) sobre uma/um *bottom*, que, por sua vez, entrega esse controle (também com diferentes nomeações, conforme particularidades, como masoquista, submissa/o etc.) à/ao *Top*. Podem existir variações em tais práticas, mas sempre presumindo certas regulações que remetem aos modos como as pessoas (nas comunidades BDSM) se organizam – nem sempre aceitando ou negando absolutamente as regras, mas tendo-as como parâmetros de suas ações. A tríade SSC (são, seguro e consensual) é a base que nunca pode faltar, sendo a mais reforçada e a primeira a ser aprendida. Sem tais elementos, não se trata de BDSM. A combinação de uma palavra de segurança para sinalizar os limites do desejado e do abusivo é uma das medidas adotadas para garantir boas práticas.

A comunidade BDSM no Brasil é a maior da América Latina, segundo mapeamento informal de 2018 feito por alguns praticantes mediante contato com organizadoras/es de eventos específicos para tais práticas. Há também vários estudos acadêmicos brasileiros sobre o tema[9].

Embora não seja meu objetivo, aqui, recuperar pesquisas feitas sobre BDSM no âmbito da universidade, cabe salientar que, em tais estudos, é quase unânime a afirmação de que a maioria das/os adeptos é branca/o, invisibilizando praticantes não brancas/os e suas vozes. A pesquisa de Marisa Dantas, que tem como foco as relações entre feminismo e BDSM em uma perspectiva interseccional, traz a presença de corpos negros, especificamente de mulheres negras, mas não há diálogo com

---

9. Ver, por exemplo, a pioneira monografia de LEITE JR., Jorge. *A cultura S&M*, op. cit.; GREGORI, Maria Filomena. *Prazeres perigosos*: erotismo, gênero e limites da sexualidade. São Paulo: Companhia das Letras, 2016; FACCHINI, Regina. Prazer e perigo: situando debates e articulações entre gênero e sexualidade. *Cadernos Pagu*, n. 47, 2016. Disponível em: https://doi.org/10.1590/180944492016 00470014. Acesso em: 16 mar. 2021; ZILLI, Bruno. *A perversão domesticada*: BDSM e o consentimento sexual. Rio de Janeiro: Papéis Selvagens, 2018; BARROS, Marisa Dantas do Rego. *"Feministas, teclas e tapas"*: uma etnografia virtual sobre feminismos e BDSM. Dissertação (Mestrado em Psicologia)-Universidade Federal de Pernambuco, 2019.

algumas feministas negras que se manifestaram sobre o tema, tais como Audre Lorde e Alice Walker, cujos textos serão resgatados a seguir. Para retomá-las, é preciso que suas vozes sejam contextualizadas. Portanto, prossigo apresentando algumas ideias que atravessaram as chamadas "guerras do sexo", campo de disputas em que se inseriram as duas autoras.

As discussões feministas sobre prazer e perigo

A TEMÁTICA "PRAZER E perigo", que ganha fôlego a partir da década de 1980 com a contribuição de uma coletânea organizada por Carole Vance[10], inspira um debate sobre experiências eróticas cujas tensões são evidentes, situando as práticas sexuais nas fronteiras colocadas pelo risco envolvido. Tal perspectiva deslocou, pelo viés do gênero, a qualificação das práticas sexuais que anteriormente eram condenadas, fazendo com que a discussão do prazer e do perigo deixasse o binarismo dos polos excludentes. Mediante posturas teóricas distintas, a discussão envolveu algumas feministas brancas que, tomadas no lugar de universalidade, acabaram apenas dialogando entre si. De um lado, as que defendiam uma sexualidade livre para as mulheres; de outro, as que condenavam o trabalho sexual, a pornografia e o BDSM. O grupo favorável à liberdade sexual teve a decisiva atuação do Samois, mediante manifestação política de lésbicas feministas.

O Samois, que teve início em 1978, foi um grupo de lésbicas que tinha como objetivo defender a livre expressão sexual das mulheres por uma perspectiva feminista, sendo todas abertamente praticantes e promotoras de atividades sadomasoquistas. Não se sabe se havia integrantes não brancas, mas sabe-se que Gayle Rubin, enquanto branca, não colocou a questão racial

---

10. VANCE, Carole S. *Pleasure & Danger*: Exploring Female Sexuality. Boston: Routledge & Kegan Paul, 1984.

em consideração no seu texto sobre política sexual[11]. No âmbito das "guerras do sexo" estadunidenses, não se trata apenas de posicionar o Samois em um dos polos de uma dualidade em que um lado defendia indiscriminadamente o BDSM e a pornografia enquanto o outro meramente condenava essas práticas. É preciso entender os argumentos que mobilizaram tais embates, para então poder saber sobre o que versa a escrita das também estadunidenses Audre Lorde e Alice Walker. Qualquer simplificação pode deixar de levantar questões importantes sobre assimetrias de poder que fazem parte tanto do BDSM, com arranjo contextualizado e específico, quanto da sociedade, de maneira mais ampla – cada qual em âmbitos diferentes, ainda mais para visibilizar um recorte racial com olhar crítico.

O movimento antipornografia, representado amplamente pela Women Against Violence in Pornography and Media (WAVPM) [Mulheres de São Francisco contra a Violência na Pornografia e na Mídia], fundada em São Francisco em 1976, e pela Women Against Pornography (WAP) [Mulheres contra a Pornografia], fundada no mesmo ano em Nova York, condenou todas as variantes da expressão sexual como antifeministas. Eram mulheres brancas que também não colocavam a questão racial entre suas preocupações. O sadomasoquismo foi utilizado enquanto especialmente representativo da perigosa associação entre sexo e violência com a qual a parte mais radical do movimento feminista estava preocupada. Para essa parcela, o fato de que tais ideias estavam sendo promovidas por mulheres que se consideravam feministas tornava o Samois especialmente perigoso. Desse modo, não demorou para que fosse acionado o argumento da "falsa consciência", em uma tentativa de deslegitimar as atividades e retóricas das mulheres praticantes de BDSM[12].

---

11. RUBIN, Gayle. Pensando o sexo: notas para uma teoria radical da política da sexualidade. In: RUBIN, Gayle. *Políticas do sexo*. Tradução Jamile Pinheiro Dias. São Paulo: Ubu Editora, 2017. p. 62-128.
12. DUARTE. Larissa C. *Pornotopia*: história, desafios e reimaginações das pornografias feministas. Dissertação (Mestrado em Antropologia Social)–Universidade Federal do Rio Grande do Sul, 2014.

Situando historicamente as questões de sexualidade colocadas, bem como a repressão sexual, Rubin[13] mostrou que a década de 1950 foi tanto um período de formação (conforme exemplificam os relatórios Kinsey e o florescimento da literatura lésbica) quanto de repressão. A contraofensiva da direita reagiu à liberalização sexual, irrompendo numa coalizão consciente e unificada de radicais sexuais nas décadas de 1960 e 1970. Tal corrente emergiu como um movimento sexual sensível aos assuntos recém-surgidos e buscou uma nova base teórica. Na direção contrária, havia uma tradição pró-sexo, que incluíra indivíduos como Havelock Ellis, Magnus Hirschfeld, Alfred Kinsey e Victoria Woodhull, assim como movimentos pela educação sexual e pelos direitos reprodutivos, organizações militantes de prostitutas e homossexuais e organizações como a World League for Sexual Reform [Liga Mundial pela Reforma Sexual], dos anos 1960. Tais reformistas mostraram-se mais próximos dos preceitos feministas, no sentido liberatório do feminismo, do que a militância organizadora das cruzadas morais, movimentos pela pureza social e organizações contra o vício. Ancorando historicamente a formação das comunidades eróticas, estão a produção erótica em massa e as possibilidades de comércio erótico que viabilizaram a existência das pioneiras organizações de direitos gays e lésbicos, desenvolvendo-se com as análises correntes da opressão sexual.

Ao debruçar-se sobre as relações da história da sexualidade que, orientadas pelo feminismo, estigmatizaram minorias sexuais, Gayle Rubin criticou as restrições que a direita (com as militantes feministas antipornografia) tentava impor ao comportamento sexual das mulheres, denunciando os altos custos que recaíam sobre aquelas sexualmente ativas. A tradição criticada por ela se alinhava aos discursos conservadores e antissexuais e atingira hegemonia temporária com o movimento antipornografia, considerando a liberalização da sexualidade

---

13. RUBIN, Gayle. Pensando sobre sexo: notas para uma teoria radical da política da sexualidade, op. cit.

uma extensão do privilégio masculino. No topo da hierarquia de uma "boa sexualidade", passaram a constar as relações lésbicas monogâmicas de longo prazo sem papéis de gênero polarizados. Esse discurso recriou uma moralidade sexual muito conservadora, dando subsídios a um setor político que, ao fazer a defesa da "mulher" enquanto categoria universal, se coloca frontalmente em oposição à pornografia e prostituição, assim como também à homossexualidade, toda variação erótica, educação sexual, pesquisa sobre sexo, aborto e contracepção.

> A sexualidade dos jovens é negada, a sexualidade adulta é frequentemente tratada como se fosse uma espécie de lixo nuclear, e as representações explícitas do sexo se dão em um verdadeiro lamaçal de circunlóquios jurídicos e sociais. Grupos específicos carregam o fardo do atual sistema de poder erótico, mas a perseguição a eles promove um sistema que afeta a todos.[14]

Enquanto pleiteava proteger as mulheres, a regulamentação proposta contra a pornografia acabou sendo usada de maneira arbitrária contra minorias vulneráveis (mulheres em situação de prostituição, homossexuais, trabalhadoras/es da indústria do sexo etc.). E realmente tais debates afetaram a todas e todos. Para entender o efeito de tais discussões na arena política dos Estados Unidos, a eleição de Ronald Reagan, nos anos 1980, inflamou mais os discursos. Eleito no contexto de sua promessa de reparar o orgulho maculado de uma nação em recessão, recém-saída de um fracasso militar e imersa em uma crise de energia, ele surgiu para silenciar os ecos de contestação da ordem da década anterior, produzidos por movimentos de contracultura como o movimento feminista (que garantira fazia pouco tempo a legalização do aborto e o direito à pílula) e o ativismo gay (que conseguira eleger o primeiro candidato homossexual a um cargo público

---

14. Ibid., p. 128.

três anos antes, em São Francisco). Eram tais minorias sociais que contestavam a família nuclear, branca, heterossexual, presbiteriana e suburbana. No entanto, o combate à aids no governo Reagan foi um fracasso – centrado no combate às drogas e no sexo não marital, vistos como responsáveis pela epidemia. Ele utilizou a mesma lógica para combater a pornografia. Alegava que essa incitava práticas e vivências sexuais não apenas imorais como perigosas. Desse modo, tal combate tornou-se uma medida de saúde pública, assim como a implementação de planos de educação centrados na lógica de incentivo à abstinência[15]. A mobilização estratégica, pela extrema direita na política, do discurso que classificava como ameaçadoras a pornografia e as práticas sexuais dissidentes foi uma realidade que culminou em alianças pouco prováveis com um grupo feminista. Tais eventos inspiraram leituras críticas mais recentes no Brasil.

A antropóloga brasileira Maria Filomena Gregori[16] pondera sobre os limites e os direitos sexuais, mostrando como o desenvolvimento das pesquisas indica que o consentimento dos envolvidos passou a ser destacado como base legítima para a realização das práticas. Juntamente com a consideração das situações de vulnerabilidade, os estudos agregaram contribuições dos feminismos e dos movimentos lésbicos e gays, que passaram a olhar para marcadores sociais de diferença como gênero, idade, classe e raça – enquanto configuração de posições sociais desiguais que possam configurar abuso, mas que também atuam proporcionando prazer enquanto esforço de transgressão. No entanto, apesar de mencionada, a questão racial não é desenvolvida. Há também a problemática sobre os limites do consentimento e sobre quando este pode conter coerção estrutural no que diz respeito à escolha sexual, cuja semântica específica precisa ser considerada nas práticas em questão. Nesse sentido, as autoras negras apontaram alguns

---

15. DUARTE. Larissa C. *Pornotopia*: história, desafios e reimaginações das pornografias feministas, op. cit.
16. GREGORI, Maria Filomena. *Prazeres perigosos*: erotismo, gênero e limites da sexualidade, op. cit.

debates que não foram feitos durante as chamadas "guerras do sexo", porque, embora elas se manifestassem sobre o assunto já na época, não tiveram receptividade por parte das feministas brancas para o diálogo. Mesmo recentemente, ainda faltam pesquisas que visibilizem o que foi dito sobre BDSM pelas feministas negras. Apresentado o panorama, há aspectos importantes a serem reconsiderados das feministas negras, respeitando a multiplicidade de seus posicionamentos.

A crítica das feministas negras não é sobre condenação

UMA DAS AUTORAS QUE convido ao diálogo é Audre Lorde. Como intelectual proeminente do feminismo negro, ela levantou questões potentes para discutir vários temas, mas centralizo diretamente o tema do sadomasoquismo, sobre o qual ela se posicionou contra, em uma entrevista de 1982. Fiquei sabendo de tal texto em 2019, porque sua tradução circulou por algumas redes de feministas de que eu participava na época e criou ecos.

Sobre tal texto, há diversas considerações a fazer. A primeira é que foi traduzido em uma publicação independente chamada *Textos escolhidos de Audre Lorde* e recebeu como título "O sadomasoquismo na comunidade lésbica: uma entrevista com Audre Lorde e Susan Leigh Star"[17]. A versão original, segundo a referência, fora publicada como um capítulo do livro *Against Sadomasochism: a Radical Feminist Analysis*, de 1982, organizado por Robin Linden. No mencionado livro, o título não tem a primeira parte, que associa o sadomasoquismo à comunidade lésbica. Apesar de parecer um detalhe, tal vinculação evidencia a intencionalidade, por parte da publicação

---

17. LORDE, Audre. O sadomasoquismo na comunidade lésbica: uma entrevista com Audre Lorde e Susan Leigh Star. In: *Textos escolhidos de Audre Lorde*, s.l.: Difusão Herética Edições Lesbofeministas Independentes, s.d. p. 7-12. Disponível em: mpba.mp.br/sites/default/files/biblioteca/direitoshumanos/direitos-da-populacao-lgbt/obras_digitalizadas/audre_lorde_-_textos_escolhidos_portu.pdf. Acesso em: 13 set. 2020.

independente, de direcionar as informações ali contidas ao público lésbico. As alegações provenientes desses materiais (no caso, especificamente da tradução mencionada) têm potencial de reverberar em discursos condenatórios e desinformados sobre como as comunidades BDSM se organizam e realizam suas práticas. Uma das preocupações dessa escrita é pensar criticamente sobre o tema, pois os sentidos e efeitos de tal distribuição podem acabar servindo até mesmo como justificativa de políticas de incentivo à abstinência, em um exagero temeroso, mas que já demonstrou não ser impossível na história das "guerras do sexo" feministas (guardadas as respectivas temporalidades e regiões). Ao pesquisar sobre a entrevista, descobri que esta constou também em uma coletânea de textos de Audre Lorde de 1988 – portanto, posterior –, chamada *A Burst of Light: Essays*[18]. Ali, apareceu com outro título, "Sadomasochism: Not about Condemnation" [Sadomasoquismo: não é sobre condenação], que enfatiza um caráter mais crítico que condenatório. Essa versão conta também com uma introdução que descreve o ambiente físico onde ocorreu o encontro entre a entrevistadora e a entrevistada, apontando a ironia da distância do meio/cultura rural para as culturas urbanas como o sadomasoquismo e o punk rock, num esforço de reconhecimento e localização de momento histórico importantes para fins de observação e comparação. Ainda que, no corpo da entrevista, o sadomasoquismo seja acusado de deslegitimar o feminismo-lesbiano e visto de forma inerentemente depreciativa, não se pode esquecer que o estigma sofrido pelas lésbicas negras não era o mesmo que marcava as lésbicas brancas na sociedade, ainda mais naquela época. Por isso, a associação de uma prática sexual explícita tornava-se um agravante de outro tipo. A alegação da autora é de que o sadomasoquismo foi usado para deslegitimar o lesbianismo e o feminismo. No

---

18. Id., *A Burst of Light*: Essays. Ithaca: Firebrand Books, 1988. *A Burst of Light and Other*: Essays. Nova York: Ixia Press, 2017.

entanto, assumir tal ideia implica reforçar a estigmatização de adeptas. Como justificativa, Lorde parte do mote feminista "o pessoal é político" para criticar o uso do poder. Versando sobre as questões de dominação e submissão nos âmbitos políticos, culturais e econômicos, destaca a integridade do indivíduo, a qual considera inexistente no sadomasoquismo. Desse modo, traz o seguinte argumento: quando o feminismo alega que o pessoal é político, a prática sexual é um dos aspectos que precisam ser questionados. Para a teórica, tornar erótica a ação de exercer o poder sobre alguém que não o tem, mesmo numa representação, é dar continuidade a esse tipo de relação, seja política, social ou economicamente.

Mesmo sendo o consentimento um dos pilares do universo sadomasoquista, segundo a tríade ssc, esse conhecimento acabava restrito a quem se dispunha a conhecer as práticas com mais profundidade, para além das imagens espetacularizadas divulgadas na mídia e nos discursos de feministas radicais que propagandeavam contra elas. Ao desconsiderar o modo como acontecem as negociações nas práticas eróticas/sexuais sadomasoquistas, Audre Lorde nem mesmo cogitou que pudesse haver consentimento e escolha consciente por parte das praticantes.

Lorde mostrou essa crítica quando disse que apenas homens brancos lucrariam com "lésbicas se batendo". Porém, ao mesmo tempo que alertou para que as lésbicas não exercessem uma sexualidade voltada ao prazer desses homens, paradoxalmente voltou a tomá-los como centro, deixando de considerar a possibilidade de que o prazer residisse no que fosse desfrutado por essas próprias mulheres no jogo.

Sobre o enrijecimento de uma retórica que visava convencer de que pornografia, objetificação e violência se relacionavam, Gayle Rubin disse:

> as minorias eróticas, como sadomasoquistas e transexuais, são tão propensas a ter atitudes ou comportamentos sexistas quanto

qualquer outro agrupamento social politicamente aleatório. Mas alegar que são inerentemente antifeministas é pura fantasia.[19]

Nesse sentido, além de se reconhecer que o BDSM não é necessariamente feminista, é importante ponderar que, de fato, não há garantia de que as pessoas cumpram suas combinações. Se, por um lado, tal configuração não é garantia de que os limites combinados não serão excedidos, por outro, desconheço qualquer tipo de relação que possa cumprir tal garantia. Embora ambivalente, o BDSM fortalece o valor do consentimento na sexualidade e, quando considera os atravessamentos que o antecedem, enriquece tal compreensão, assim como aponta limites para refletir sobre o modo como é considerado tal mecanismo.

Gayle Rubin também apontou a importância do consentimento nas instituições e nas estruturas sociais que regulam a sexualidade. Portanto, consentimento não é universal, na mesma medida que as diferenças colocadas por sexualidades normativas e hierarquias sexuais. A antropóloga estadunidense Margot Weiss[20] argumentou que, ao erotizar desigualdades sociais e diferenças de poder não consensuais, assim como a fantasia de um sujeito livre para escolher e performar em tais cenas sem consequências sociais, o sadomasoquismo mostrou relações ambivalentes entre consenso e não consenso, destacando tensões sociais entre agência e coerção. A autora prossegue dizendo que o próprio consentimento, no BDSM, poderia se tornar uma forma de violência, caso performasse uma retórica que remetesse à imaginação neoliberal ocidental que invisibiliza a violência da qual procurou, paradoxalmente, se isentar. Sendo assim, quais as implicações de considerarmos marcadores como sexualidade, classe social, raça, idade e gênero?

---

19. RUBIN, Gayle. Pensando o sexo: notas para uma teoria radical da política da sexualidade, op. cit., p. 116.
20. WEISS, Margot. *Techniques of Pleasure:* BDSM and the Circuits of Sexuality. Durham: Duke University Press, 2011.

Tais considerações apontam que, mesmo negociada e expressa, a consensualidade não é um princípio universal; não tem a mesma valência para todas/os. Devemos ser cautelosas ao adotar o consentimento como principal determinante da liberdade sexual, porque muitas vezes ele apoia sexualidades normativas e hierarquias sexuais. As estudiosas que interrogaram o papel do consentimento como uma ferramenta de poder, refletindo e reforçando hierarquias sexuais, consideraram o legado da violência sexual feminina negra como complicador das noções de consentimento e a já complexa relação de poder que está envolvida nessa dinâmica. O tema racial revela o profundo paradoxo da separação entre fantasia e realidade: mesmo quando o jogo reitera referências históricas e políticas do "mundo real e compartilhado", pode ser imaginado, encenado e narrado como pura fantasia. Essa é uma profunda tensão no cerne da questão.

Ao ser inquirida sobre as raízes das práticas, o argumento de Lorde ancorou-se em aspectos de um padrão de superior/inferior que estariam inculcados nos mais profundos níveis de consciência, nutrindo intolerância às diferenças. Novamente, tornou-se evidente o desconhecimento da autora sobre a contextualização histórica do BDSM, no sentido de entender como ele acontece, como surgiram e se constituem as comunidades de praticantes etc. Afinal, pessoas adeptas do sadomasoquismo não são necessariamente intolerantes, assim como pessoas não praticantes podem (ou não) repetir tais padrões presentes nos níveis profundos de consciência. Ao associá-los à intolerância, reiteram-se discursos médicos que tornam a estigmatizar uma prática sexual historicamente patologizada. Se os aspectos de superioridade e inferioridade são internalizados socialmente, sendo algo estrutural e geral, é preciso que sejam examinados não apenas no que concerne aos praticantes de BDSM.

Contudo, a complexidade aumenta quando surgem as implicações políticas, conforme se vê na pergunta de Susan Leigh Star:

Leigh: Muitas das coisas que você está dizendo é que as políticas do s/m estão conectadas com as políticas de movimentos maiores? Audre: Eu não acredito que sexualidade é algo separado da vida. Como uma mulher da minoria, eu sei que relações de dominação e subordinação não são apenas questões de quarto. Da mesma maneira que estupro não é uma questão de sexo, s/m também não é, mas é uma questão de como nós usamos o poder. Se fosse somente uma questão de preferência sexual ou de gosto particular, por que esta seria apresentada como uma questão política?[21]

De fato, o BDSM torna-se político quando visibilizado e debatido. Como Lorde, Alice Walker[22] avaliou o BDSM como uma erotização prejudicial do domínio e submissão que corre o risco de banalizar a história da escravidão real das mulheres negras e perpetuar falsamente seu contentamento, além de um suposto consentimento a esse cativeiro. Em uma história intitulada "A Letter of the Times, or Should This Sado-Masochism Be Saved?" [Uma carta dos tempos, ou deveria esse sadomasoquismo ser salvo?], Walker, escrevendo como a personagem Susan Marie, uma professora negra, descreve seu horror ao assistir a uma reportagem na televisão sobre o fenômeno do BDSM com um casal de lésbicas inter-raciais em preto e branco, amante e escrava. Assim, conta de que modo a imagem causou estragos nela, pessoalmente. Seus esforços, como estudiosa feminista negra, buscaram ensinar sobre as condições da escravidão feminina negra. "Ao contrário da 'escrava' na televisão, mulheres negras não querem ser escravas. Elas nunca quiseram ser escravizadas."

Realmente, o combate ao racismo deve passar por criteriosa análise das práticas cotidianas, assim como certamente a escravidão deve ser rechaçada, mas o fato de os sentidos serem evocados em diferentes contextos merece atenção. A potencialidade

---

21. LORDE, Audre. O sadomasoquismo na comunidade lésbica: uma entrevista com Audre Lorde e Susan Leigh Star. op. cit., p. 11.
22. WALKER, Alice. A Letter of the Times, or Should This Sado-Masochism Be Saved? In: LINDEN, Robin (Org.). *Against Sadomasochism*: a Radical Feminist Analysis. East Palo Alto: Frog in the Well, 1982.

de valorização da escolha sexual de mulheres negras, estudada por pesquisadoras como Ariane Cruz[23], deve também ser escutada. Quando o BDSM é descontextualizado de suas esferas de prática, é movido para fora do reino da fantasia em que está situado para muitos praticantes. O que dizem as mulheres negras que se engajam em tais práticas? Seria a crítica postulada por Alice Walker representativa de todas as mulheres negras, de maneira homogênea? Afirmo aqui a importância de ouvir as mulheres articularem suas próprias práticas sexuais e narrarem seus desejos, motivações e experiências sexuais individuais. Existe um núcleo de fantasia, ritual e peça que simboliza a prática e sua representação. As "atrizes" do BDSM, como alguns as identificam, estão envolvidas em um relacionamento erótico voluntário que inclui dramatização, troca de poder e a encenação frequentemente chamada de "cena". As narrativas, que são roteirizadas por cada jogador, dirigem essas cenas ou encontros consensuais.

Apesar do tom condenatório, o diálogo sobre o BDSM de escritoras feministas negras como Audre Lorde e Alice Walker, iniciado no começo dos anos 1980, traz contribuições relevantes, quando revisitado no contexto de sua época. Escutar as mulheres negras do passado e do presente é ouvir uma multiplicidade de vozes que divergem e convergem entre si. A literatura recente sobre o tema ainda mantém uma tradição de hegemonia branca e marginalização dessas vozes. As mulheres negras que defendem uma sexualidade dissidente, como Ariane Cruz, enxergam no BDSM uma ferramenta eficaz para desestabilizar as articulações da sexualidade feminina negra, historicamente ancoradas no terreno tenaz da degradação, desempoderamento, exploração, normatividade, opressão, policiamento e silêncio. Reconhecer agência nessas praticantes é um passo importante para nos levar a uma desestigmatização urgentemente necessária das práticas sexuais femininas negras e de seus corpos nos espaços a que querem e demandam pertencer.

---

23. CRUZ, Ariane. *The Color of Kink*: Black Women, BDSM, and Pornography. Nova York: New York University Press, 2016.

Sara Macêdo

Romanipen[1] nas margens: o triângulo marrom, diáspora e a movimentação de mulheres romani

> [...] *pois a história a ser relatada agora será em grande medida a história daquilo que os outros têm feito para destruir a sua diferença – conclui-se que a principal façanha dos ciganos foi ter sobrevivido.*[2]

Caminhando pela ancestralidade

PEDIR LICENÇA É IMPORTANTE, àquilo que vai se colocar no papel, àqueles e aquelas que anunciamos. É o círculo da ancestralidade, da tradição, do ensinamento e do respeito pelo afeto do aprendizado daqueles que fizeram o trajeto antes de nós. A ancestralidade prepara caminho da consciência de si, mas também do nós. A trajetória do território-corpo que constitui uma identidade[3] é a dinâmica da vivência, do vivido. Um olhar da gente enquanto árvore com raízes nos aproxima dos sentidos

---

1. No *chib* romani, a língua roma, dos povos ciganos, que varia segundo o agrupamento comunitário. Com aproximadamente 1 milhão de falantes no mundo, é uma das poucas línguas sem território. *Romanipen* significa a força da identidade.
2. FRASER, Angus. *Los gitanos*. Barcelona: Ariel, 2005. p. 15.
3. "Identidade organiza os significados", como diz CASTELLS, em *O poder da identidade*. Tradução Klauss Brandini Gerhardt. São Paulo: Paz e Terra, 1999. p. 21.

de ser comunidade⁴. Da memória presente fora de uma lógica linear do tempo, do desenvolvimento ocidental. Pedir licença é um presente para o coração tranquilo. Aos espíritos antepassados da familiaridade e da parentalidade e a toda a cosmologia do viver de povos tradicionais, essa constituição que se manifesta nas margens.

Curando a ferida da margem

ÀS MARGENS, ESTÃO AS alternativas "[...] em que a particularidade tem seu lugar"⁵. E parece bem simples. Nessa categoria que trago, as "particularidades são momentos da totalidade que a realizam e até podem determiná-la de modo diverso"⁶. A externação da margem cigana é também analisada enquanto cultura, um conceito de variadas acepções, principalmente na antropologia, mas que é "fator crucial na produção e reprodução do espaço"⁷. É uma margem construída, principalmente, através da oralidade. Essa cultura pode ser entendida, igualmente, como integrante do sistema imunológico de povos tradicionais⁸. *Romanipen* diz sobre essa cultura enquanto tradição e força ancestral. Demonstra também sobre o suporte e espiritualidade "no processo dinâmico das comunidades étnicas, o critério da autoatribuição leva os sujeitos envolvidos a se identificarem como pertencentes a uma determinada etnia⁹". São diferentes acepções, de fato. Para além das romantizações do imaginário ocidental, "permanecer à margem social

---

4. Escutei muito disso com meu Bàbá Adèlóná Sàngówàlé, na tradição do Ifá.
5. ANDERSON, Kevin V. *Marx nas margens*: nacionalismo, etnias e sociedades não ocidentais. Tradução Allan M. Hillani e Pedro Davoglio. São Paulo: Boitempo, 2019. p. 17.
6. Id.
7. AZEVEDO, Ana Francisca. Geografias pós-coloniais: contestação e renegociação dos mundos culturais num presente pós-colonial. In: PIMENTA, José Ramiro; SARMENTO; João; AZEVEDO, Ana Francisca (Org.). *Geografias pós-coloniais*: ensaios de geografia cultural. Porto: Figueirinhas, 2007. p. 31-69.
8. Como disse a dra. Marimba Ani, uma ancestral preta, no canal OSH1 do YouTube, com o nome de episódio "A visão de mundo africana": "Nossa cultura é nosso sistema imunológico".
9. SILVA, Márcia Vieira da. Reterritorialização e identidade do povo Omágua- Kambeba na aldeia Tururucari- Uka. 2012. 175 f. Dissertação (Mestrado em Geografia)–Universidade Federal do Amazonas, Manaus, 2012. p. 19.

é um movimento de negação e transgressão aos valores da burguesia"[10]. É exatamente a utopia possível, pois está sendo vivida no exato presente em que escrevo este pequeno diário de existências subalternas:

> [...] a arte secreta da invisibilidade cria uma crise na representação da pessoa e, nesse instante crítico, inaugura a possibilidade de subversão política. O que toma (o) lugar, no sentido do suplemento derridiano, é o mau olho desencarnado, a instância subalterna que executa a vingança circulando sem ser vista [...]. O movimento antidialético da instância subalterna subverte qualquer ordenação binária ou negadora, de poder e signo, ele adia o objeto do olhar e o dota de um impulso estratégico, que podemos aqui analogamente chamar de movimento de pulsão de morte.[11]

Trata-se de uma consideração epistemológica e crítica, pois tal margem é constitutiva material da vida dos povos ciganos, afinal a própria história nos conta que essa minoria étnica não chegou ao Brasil por livre disposição de liberdade e nomadismo (adjetivos muito atribuídos aos *Roma*[12]). A chegada ao Brasil se deu por conta de subsequentes criminalizações, seguidas de banimentos na forma do "degredo"[13], de países como Portugal, em direção a colônias. Quando a forma-prisão não era regra, existia o exílio e a deportação de sujeitos considerados criminosos ou indesejados. Quando existiam países considerados "de ninguém", o degredo era prática recorrente e dinâmica de vida de ciganos Calons[14].

---

10. SILVA Júnior, Aluízio de Azevedo. *A liberdade na aprendizagem ambiental cigana dos mitos e ritos Kalon*. Dissertação (Mestrado em Educação)–Universidade Federal de Mato Grosso, 2009.
11. BHABHA., Homi K. *O local da cultura*. Tradução Myriam Ávila, Eliana de Lima Reis e Glaucia Gonçalves. Belo Horizonte: Editora da UFMG, 2005. p. 91.
12. Outro termo para se referir aos povos ciganos, geralmente no plural.
13. Degredo é uma condenação ao exílio, situação corrente entre os séculos XV e XVIII.
14. Comunidade ou agrupamento cigano ligado a uma região específica da Europa, da Península Ibérica e, mais precisamente, como raiz, da Espanha.

Os povos *Roma* não se caracterizam ou nutrem de apenas uma marginalidade excluída e vitimizada, mas de uma margem enquanto alternativa "em constante processo de formação"[15]. Uma das possibilidades à sociedade hegemônica, "passíveis de demolir anteriores práticas de domínio, subjugação e exclusão que assentavam sobre a cristalização de identidades fixas"[16]. É a metáfora do espelho invertido colonial e dualístico, que, mesmo deformando a imagem e a existência de comunidades não hegemônicas[17], pode ser quebrado pela autonomia e pela subversão dos povos. Interessante pensar que o conto popularizado pela ocidentalidade colonizadora semeia a narrativa de um espelho trocado por uma terra – e, a partir disso, essa terra teria sido "descoberta".

A margem é uma possibilidade de "abertura radical"[18]. A afetação com tal perspectiva é requerida para se dizer dos muros físicos que cercam a vida de povos tradicionais, contidos num espectro histórico e coletivo de tradição, de algo que continua, apesar dessas margens. São "fronteiras enunciativas de outras vozes dissonantes, até dissidentes – mulheres, colonizados, grupos minoritários, os portadores de sexualidade policiada"[19]. Trata-se de uma "resposta crítica à dominação"[20]. As cosmovisões resistem dessa forma, na resposta amarga à hegemonia que transforma tudo em mercadoria. Essas conexões cosmológicas, na maioria das vezes, são construídas a partir da circularidade do afeto e do cuidado radicalizados. O território que não faz circular o lucro é uma ameaça para quem impõe e trata de manter essa margem.

---

15. AZEVEDO, Ana Francisca. Geografias pós-coloniais: contestação e renegociação dos mundos culturais num presente pós-colonial, op. cit., p. 53.
16. Ibid., p. 61.
17. Na esteira de Antonio Gramsci.
18. HOOKS, bell. *Anseios*: raça, gênero e políticas culturais. Tradução Jamille Pinheiro. São Paulo: Elefante, 2019.
19. BHABHA., Homi K. *O local da cultura*, op. cit., p. 24.
20. HOOKS, bell. *Anseios*: raça, gênero e políticas culturais, op. cit.

Por uma identidade anticolonial

ATÉ O PRESENTE, A terminologia "povo cigano" é utilizada em desacordo com um referencial de uma grande diversidade étnica. É uma terminologia que universaliza e sedimenta uma identidade homogênea. Uma identidade que não identifica ninguém, sinônimo de apagamento. Termo genérico, fabricado pela sociedade considerada civilizada. Trata-se de uma concepção de universalidade etnocida, pois o poder de nomeação não é da subalternidade[21]. Esse poder é instrumental para a colonialidade, pois decide quem é sujeito que compreende direitos. Por exemplo, existe uma linha entre a real liberdade atribuída aos povos ciganos e o nomadismo fruto de expulsões e banimentos territoriais. Essa noção também funciona como um espelho invertido, pois "o espaço colonial é tradicionalmente dividido: natureza/cultura, caos/civilidade"[22]:

> A civilização dita "europeia", a civilização "ocidental", tal como modelaram dois séculos de regime burguês, é incapaz de resolver dois problemas maiores que a sua existência deu origem: o problema do proletariado e o problema colonial.[23]

Nesse "paradigma desenvolvimentista"[24], não existe espaço para Roms, Calóns, Sinti e nenhum dos outros diversos agrupamentos da grande história diaspórica[25] cigana. Não há espaço para a identidade fora de uma caixinha "legitimadora"[26], que cristaliza nossas vivências e nosso modo de existir.

---

21. Categoria debatida pela indiana Gayatri Chakravorty Spivak.
22. BHABHA., Homi K. *O local da cultura*, op. cit., p. 179.
23. CÉSAIRE, Aimé. *Discurso sobre o colonialismo*. Lisboa: Sá da Costa, 1978. p. 13.
24. Discutido pelo geógrafo britânico David Harvey em: HARVEY, David. *O novo imperialismo*. Tradução Adail Sobral e Maria Stela Gonçalves. São Paulo: Edições Loyola, 2004.
25. Uma das discussões mais fortes dentro da comunidade cigana é a de se tratar de uma minoria diaspórica e transnacional. Para mais informações: GUIMARÃIS, Marcos Toyansk Silva. *O associativismo transnacional cigano*: identidades, diásporas e territórios. Tese (Doutorado em Geografia Humana)–Universidade de São Paulo, 2012.
26. "Identidade legitimadora: introduzida pelas instituições dominantes da sociedade no intuito de expandir e racionalizar sua dominação em relação aos atores sociais, tema este que está no cerne da teoria de autoridade e dominação de Sennett, e se aplica a diversas teorias do nacionalismo"; In: CASTELLS, Manuel. *O poder da identidade*, op. cit., p. 8.

O não reconhecimento como "legítimo" desse modo de existir é pressuposto para não se reconhecerem direitos. Fico pensando no que a escritora portuguesa Grada Kilomba nos trouxe em seus escritos, sobre uma "identidade dependente", "que existe através da exploração do 'Outro', uma identidade relacional construída por brancos(as), definindo eles(as) mesmos(as) como racialmente diferentes dos 'Outros'"[27]. É importante pensar sobre isso.

Autoafirmar-se enquanto mulher romani é um processo de se aproximar da dignidade negada historicamente pela hegemonia sedimentada por um Ocidente branco; "[...] etnia sempre foi uma fonte fundamental de significado e reconhecimento"[28] para que, entre outras palavras, os costumes em comum, importantes e salutares para povos de tradição, possam se manifestar da mesma forma que com seus ancestrais. Movimento de se reconhecer pela primeira vez, pensando também na última vez, essa "autodefinição é a chave do empoderamento dos indivíduos e dos grupos, de modo que ceder esse poder a outros grupos [...] reproduz em essência as hierarquias de poder existentes"[29]. Singularmente para as mulheres ciganas, que estão ligadas de maneira mais profunda à reprodução do cuidado com a comunidade familiar:

> As mulheres, conhecedoras das ervas dos campos e cerrados, das flores e raízes faziam garrafadas e vendiam. Nesta época as roupas eram confeccionadas por elas mesmas, bem como suas barracas, arreios e estrutura física da moradia sempre (simples e não luxuosas), evidenciando uma não ruptura entre cultura e natureza.[30]

---

27. KILOMBA, Grada. "The Mask". In: *Plantation Memories:* Episodes of Everyday Racism. 2. ed. Münster: Unrast, 2010.
28. Id., p. 32.
29. COLLINS, Patricia Hill. *Pensamento feminista negro:* conhecimento, consciência e a política do empoderamento. Tradução Jamille Pinheiro Dias. São Paulo: Boitempo, 2019.
30. SILVA JÚNIOR, Aluízio de Azevedo. *A liberdade na aprendizagem ambiental cigana dos mitos e ritos Kalon*, op. cit.

As mulheres ciganas, quando confrontadas com a sociedade majoritária, não encontram referenciais que as fazem ter orgulho de sua etnia. É de novo o espelho rachado, invertido, dessa mulher recortada pela colonialidade. Uma construção de unidade entre mulheres, que acaba sendo um vazio ontológico, não se encaixa aqui. Ser forçada a inserir-se em construções que fazem você se sentir perdida não traz muitos referenciais de transformação ou, mesmo, de inserção social. Toda nomenclatura que tem seus sentidos esvaziados de prática concreta não diz muito sobre ninguém. De novo, encontramos os desencontros da branquitude, que apaga também os sentidos do diverso, do étnico e da memória. Não reside nisso um julgamento moral, mas o de que esse espelho oferecido pela sociedade forjada na ocidentalidade atrapalha a reprodução das vidas.

Essa autodeterminação ou autoafirmação é uma retomada coletiva[31], pois aquilo que atinge o coletivo atinge ou violenta quem se organiza enquanto comunidade. É uma conexão forte e "que não perde sua identidade no seu deslocamento com relação a um referencial fixo"[32]. Não é uma caixinha de cristal a movimentação dos povos ciganos e, mais especificamente, a das mulheres Roma. Sobre o referencial fixo, é importante mencionar, pela existência em diáspora de comunidades ciganas. Os marcadores epistemológicos são sagrados para analisar com fidelidade essas mulheres; o que particulariza seu gênero é o racismo, o preconceito étnico e o anticiganismo, a margem e a pobreza, além do próprio patriarcado, que não foi inventado pelas comunidades ciganas[33]. Trata-se de uma crítica aberta ao que o movimento feminista propõe como empoderamento de gênero. É importante registrar, também, que etnocídio e genocídio estão sempre articulados.

---

31. Também debatidos por povos indígenas.
32. ALMEIDA, Maria Geralda. Diáspora: viver entre-territórios. E entre-culturas? In: SAQUET, Marcos Aurelio; SPOSITOSA, Eliseu Savério (Org.). *Territórios e territorialidades:* teorias, processos e conflitos. São Paulo: Expressão Popular, 2009. p. 179.
33. O estereótipo que se tem é de que os ciganos estão submersos na pura crueldade patriarcal e de que esse elemento é cultural.

Há um desejo de autojustificação que enfrenta a produção de hegemonia da identidade legitimadora e institucional pela "necessidade de provar constantemente que nós, como povo, como cultura, não somos responsáveis pela morte de nosso povo"[34]. A colonialidade instrumentaliza esses falsos encontros por meio, também, de seus atores na branquitude[35]. O patriarcado não morrerá de morte natural, muito menos cessará se passarmos uma faca em sua garganta. Da mesma forma, o etnocídio, o que dá sentido à identidade cigana como resistência[36]. Frantz Fanon, psicanalista martinicano e marxista, menciona, de forma muito cuidadosa, em um de seus trabalhos[37], o entendimento dessa afirmação. Fanon também pode ser trazido à fala para se evidenciarem as margens e seus marcadores de identidades dissidentes. Para sujeitos submetidos à colonização, e seu processo de atualização e ressignificação no presente, discutido pelos estudos decoloniais ou anticoloniais, uma mera transição de empoderamento ou de "independência", como foi discutido pelo autor martinicano, não é suficiente. "O observador atento dá conta da existência de uma espécie de descontentamento larvar, como essas brasas que, depois da extinção do fogo, ameaçam sempre atear-se novamente."[38] Essa brasa da violência material articulada pela colonização, fundada na propriedade privada, no patriarcado e na racialização de sujeitos considerados impuros, não cessará com um movimento linear pautado em uma ou outra opressão. A articulação tem diversos braços, cortar somente um não resolverá os marcadores que incidem sobre a mulher cigana. Por isso, um feminismo que contemple nossa diáspora não pode nos fazer escolher entre gênero ou etnia. Não se quer deixar de ser cigana. É uma artimanha colonial.

---

34. FEJZULA, Sebijan. No Room for Roma Feminism. In: White Feminism. *Menelique*, 22 jul. 2019.
35. Discutido pela psicanalista com abordagem social Geni Nuñez.
36. "Identidade de resistência", debatida no trabalho de CASTELLS, Manuel. *O poder da identidade*, op. cit.
37. FANON, Frantz. *Os condenados da terra*. 2. ed. Rio de Janeiro: Civilização Brasileira, 1979.
38. Ibid., p. 39.

O movimento andarilho das mulheres romani

TODAS AQUELAS QUE INSISTEM em refazer essa sociedade e manifestam isso no seu próprio modo e tecnologia de viver são convidadas, de maneira hostil, a se inserirem na roda colonial. Se pensarmos na identidade cigana enquanto transnacional e em constante diáspora, sem um referencial fixo de nação, as coisas se complicam um pouco mais. A lógica nacionalista que configura direitos somente a cidadãos – manter um olhar de afeto ativo para os imigrantes da nossa convivência é essencial para entender isso – é outra margem que se articula ao redor, e como questão de dignidade para mulheres ciganas. Essa identidade das mulheres Roma tem memória afetiva e histórica dos territórios que ciganos e ciganas passaram, se mantiveram e depois novamente se movimentaram. Por esse motivo, a generalização perde sentido para nós, pois se mostra dotada de enquadramentos esvaziados dos sentidos do ser e do movimentar-se no mundo. Romanipen é a movimentação que transpõe barreiras dos territórios organizados enquanto nação. É uma conexão de fulguração, pois também tem bastante do elemento fogo da existência acesa. Convido a obversar como "é interessante observar que, enquanto espaço tempo vivido, o território é sempre múltiplo, diverso e complexo, ao contrário do território unifuncional proposto pela lógica hegemônica capitalista"[39].

Para as mulheres romani, os desafios do amanhã são os desafios do presente e, também, os do passado. Dessa sociedade que se legitima pelos critérios de constante "integração" de povos e comunidades tradicionais. Questionar uma suposta etnia pura, ignorando os processos históricos dos caminhos trilhados,

---

39. SILVA, Márcia Vieira da. Reterritorialização e identidade do povo Omágua-Kambeba na aldeia Tururucari-Uka. 2012. 175 f. Dissertação (Mestrado em Geografia)–Universidade Federal do Amazonas, Manaus, 2012. p. 34.

da assimilação e da própria sobrevivência, é uma amarração cruel. Seria como colocar um corpo num tribunal e decidir se ali reside o que eu acho que deve residir. Ter uma conversa tranquila sobre o outro enquanto identidade-objeto é um aspecto grave de socialização, com essas "atitudes orientalistas de um colonialismo discursivo"[40]. A identidade é um passeio calmo e contínuo. Não consigo imaginar algum representante da branquitude tendo a mesma experiência de negação. Na verdade, é motivo de orgulho uma herança branca, sem necessidade de provação. Assimilação nesse contexto é progresso. O falso ideário de progresso é alegado para que a conversão aos esquemas da branquitude[41] aconteça. E ainda assim resistem desacordos: "[A burguesia] alguma vez realizou progresso sem arrastar indivíduos e povos por sangue e lama, por miséria e degradação?"[42]. São diversas as questões levantadas a partir de uma temporalidade linear, em contraponto com um passado primitivo onde residem os povos tradicionais.

Questionar a naturalização do que não é natural. Os povos ciganos – pois falar da mulheridade cigana é falar do seu lugar, não se trata apenas de uma mulher – seguem, no imaginário social, sendo tudo aquilo que ninguém deveria ser. A cigana é uma mulher sedutora, traiçoeira, uma selvagem sem moral, que rouba da tua mão sem tu nem perceberes. Não civilizada. Os documentos de cultura nos contam sobre isso. Num filme estadunidense produzido no ano de 2009, de nome *Arraste-me para o inferno*, a cigana é uma senhora que

---

40. MOHANTY, Chandra. Sous le Regard de l'Occident: recherche féministe et discours colonial. In: DORLIN, Elsa (Org.). *Sexe, race, classe, pour une épistemologie de la domination*. Paris: PUF, 2009. p. 151.
41. "Transmitida pelos meios de comunicação de massa e pelos aparatos ideológicos tradicionais, reproduz e perpetua a crença de que as classificações e valores da cultura ocidental branca são os únicos verdadeiros e universais. Uma vez estabelecido, o mito da superioridade branca prova sua eficácia pelos efeitos da violenta desintegração e fragmentação da identidade étnica produzida por ele; o desejo de se tornar branco ("limpar o sangue", como se diz no Brasil) é internalizado com a consequente negação da própria raça, da própria cultura"; GONZALEZ, Lélia. Por um feminismo afro-latino-americano. *Caderno de Formação Política do Círculo Palmarino*, n. 1, 22 ago. 2011 (também presente em *Por um feminismo afro-latino-americano*, de RIOS, Flavia; LIMA, Márcia (Org.). Rio de Janeiro: Zahar, 2020.
42. MARX, Karl, apud ANDERSON, Kevin B. *Marx nas margens*: nacionalismo, etnias e sociedades não ocidentais, op. cit. p. 66.

vive só, uma mulher vil e amarga. Isso não tem fundamento na realidade, mas é o que resiste como estereótipo conhecido pela maioria das pessoas, e "são os pontos de encontro nas racionalidades que sustentam que os corpos não brancos seriam essencialmente promíscuos, não confiáveis, sujos"[43]. A cigana é uma bruxa[44] má, que sequestra crianças. Mas nada se diz do abandono de crianças em *tsaras* [barracas] ciganas, descartadas por famílias de *gadjos* [não ciganos]. Resiste também uma exotização, uma romantização das mulheres ciganas. Somos atribuídas de um mistério sedutor, mas enganador. O espelho não para de ser invertido.

É interessante quando dizem que ciganos não querem se integrar à sociedade considerada hegemônica ou majoritária. Excelente, pelo menos isso está visível aos olhos vendados por estereótipos. Não vejo como interessante trabalhar de 12 a 14 horas por dia e, depois, continuar trabalhando no subconsciente alienado pelo trabalho desumanizador, que desencadeia tantas doenças da mente, a ansiedade sendo uma delas. Dizem que a ansiedade faz parte de uma construção ilusória de sociedade. Pois assino embaixo. Outra interação que gostaria de desconsiderar nessa hegemonia é a de pagar para ter um lar. Seja o preço do aluguel, seja o da hipoteca, da parcela do terreno ou do montante total de uma casa. Isso é tudo menos cativante ou atraente como integração. De fato, difícil é querer ou ter recursos para se integrar a isso. "Grande parte da perseguição ao povo cigano tem sido por este ter modos de vida que ousavam desafiar o paradigma de que você tem de trabalhar para outra pessoa."[45] Mas faz parte da falácia da

---

43. JAEGER, Melissa Bittencourt et al. Bissexualidade, bifobia e monossexismo: problematizando enquadramentos. *Periodicus*, v. 2, n. 11, 2019.
44. Sobre bruxaria e mulheres consideradas bruxas, ver FEDERICI, Silvia. *Calibã e a bruxa:* mulheres, corpo e acumulação primitiva. Tradução Coletivo Sycorax. São Paulo: Elefante, 2017.
45. RIGOL, Meritxell. Pastora filigrana/abogada y activista por los derechos humanos: El antigitanismo es útil para justificar que el sistema capitalista funciona. *CTXT – Contexto y Acción*, 15 jul. 2020. Disponível em: https://ctxt.es/es/20200701/Politica/32823/Meritxell-Rigol-entrevista-Pastora-Filigrana-antigitanismo-capitalismo.htm. Acesso em: 28 ago. 2020.

integração das pessoas na narrativa da branquitude e do modelo capitalista imperante.

Quando o então ministro da Educação do Brasil Abraham Weintraub, em reunião ministerial e institucional da governança federal, diz que "odeia o termo povo cigano"[46] – legitimando uma narrativa de Estado-nação de cidadãos puros –, comunidades e mulheres ciganas olham para seu passado. O passado do triângulo marrom, do marcador racial criado pela Alemanha nazista. Marrom se tornou uma cor associada ao sofrimento. A história Roma é cheia de contos de tragédia; o marcador racial não nasceu com Hitler, mas *Porrajmos*[47] é um marco que, infelizmente, faz suas agendas raciais no presente, principalmente para a memória dos agrupamentos Sinti e Rom. Os processos que tornaram o Holocausto possível foram direcionados desde que os agrupamentos Roma chegaram àquele território. A polícia alemã, no ano de 1889, mantinha catalogados registros das andanças ciganas. Não se faz isso à toa. Os campos nômades não são nada mais nada menos que uma herança da cultura nazifascista. Para povos considerados do Oriente[48], o presente é assombroso. O histórico de racialização de povos ciganos também não nasceu com *Porrajmos*, foi forjado e construído ao longo do tempo, em diversos pontos da Europa. Na narrativa da "má casta". Como referência, tendo como exemplo outra manifestação territorial, Portugal, os exímios colonizadores do Brasil, com o Tribunal do Santo Ofício – Inquisição da Igreja Católica Romana –, foi responsável pela expulsão de vários ciganos para o Brasil, para deitar fora essa "má casta"[49]. O racismo característico contra os

---

46. "Instituto Cigano do Brasil repudia declarações de Weintraub em reunião ministerial e pede ação da Justiça". *O Povo*, 23 maio 2020. Disponível em: https://www.opovo.com.br/noticias/ceara/2020/05/23/instituto-cigano-do-brasil-repudia-declaracoes-de-weintraub-em-reuniao-ministerial-e-pede-acao-da-justica.html. Acesso em: 28 ago. 2020.
47. No *chib* romani, nome dado à aniquilação e perseguição do nazismo aos povos ciganos. É um nome em memória.
48. SAID, Edward W. *Orientalismo*: o Oriente como invenção do Ocidente. Tradução Rosaura Eichenberg. São Paulo: Companhia das Letras, 2007.
49. PEREIRA, Cristina da Costa. *Os ciganos ainda estão na estrada*. Rio de Janeiro: Rocco, 2009.

povos ciganos é conhecido como "a alteridade por excelência na Europa"[50]. A supremacia branca tem feito muito estrago neste mundo. A constante convivência com a real categoria do Outro. A alteridade, ou a distinção. A partir disso, o lugar do cigano é lugar nenhum.

O feminismo das mulheres que se relacionam com a branquitude conta a história de uma pirâmide estrutural da sociedade; segundo as análises materiais de poder, as mulheres racializadas estariam na base desse instrumento triangular, imagino que segurando todo mundo. A movimentação de mulheres ciganas, as *gitanas* feministas, recusa-se a ser essa base, a lidar com toda a carga do mundo[51]. Povos ciganos se organizam na dinâmica da tradição – denominada, com má-fé, folclore[52] –, na chamada utopia possível, "apontando para a noção de que as lutas nas margens do capitalismo poderiam gerar faíscas que acenderiam a revolução dos trabalhadores nas sociedades industrialmente desenvolvidas"[53]. Poderiam também se configurar como um bem viver[54]. Bem viver é sobre cosmovisão, multiplicidade. Esse local da tradição pode reconfigurar "a marginalidade como capacidade de resistência [que] configura o espaço das sensibilidades partilhadas"[55]. "Não se trata de idealizar grupos marginalizados, mas é preciso saber que, onde a vida não é sustentada pelo Estado ou pelo consumo, só o grupo permanece como suporte."[56] Isso diz muito do vivido, de que a coletividade tem um esquema maior que a individualidade do capital, tanto qualitativa como

---

50. RIGOL, Meritxell. Pastora filigrana/abogada y activista por los derechos humanos: El antigitanismo es útil para justificar que el sistema capitalista funciona, op. cit.
51. A partir das considerações de oralidade da irmã Julyana Victoria.
52. Discutido pelo parente indígena Edson Kayapó.
53. ANDERSON, Kevin V. *Marx nas margens*: nacionalismo, etnias e sociedades não ocidentais, op. cit., p. 264.
54. KOPENAWA, Davi; ALBERT, Bruce. *A queda do céu*: palavras de um xamã Yanomami. São Paulo: Companhia das Letras, 2015.
55. AZEVEDO, Ana Francisca. Geografias pós-coloniais: contestação e renegociação dos mundos culturais num presente pós-colonial, op. cit., p. 62.
56. FILIGRANA, Pastora. Resistencia en los márgenes. *CTXT – Contexto y Acción*, 21 jun. 2020. Disponível em: https://ctxt.es/es/20200601/Firmas/32592/Pastora-Filigrana--pueblo-gitano-resistencia-sistema-mundo-adelanto-editorial.htm#.Xu8jAbBVXGs.twitter. Acesso em: 28 ago. 2020.

quantitativamente. A partir dessa perspectiva feminista *gitana*, que convida ao rompimento com a colonialidade, reforça-se a importância de "repensar as políticas do reconhecimento cultural a partir de uma perspectiva de gênero; proposta que vai além do universalismo liberal que, em nome da igualdade, nega o direito à equidade e do relativismo cultural que, em nome do direito à diferença, justifica a exclusão e marginalização das mulheres"[57].

"*El encarcelamiento de la mujer gitana se llevó a cabo en diferentes presidios y casas de misericordia a lo largo de la geografía española*"[58], e essa violência não reside somente ali, é parte do que estrutura a história. Nomear nossas dores não é suficiente, é preciso organizar nossa autonomia. Jean-Pierre Liégeois traz uma importante contribuição acerca de que "a cultura cigana, como todas as culturas, está em constante evolução, e ainda mais que as outras, porque a mudança é uma de suas tradições, e a adaptação é uma constante necessidade"[59]. Trouxe essa questão das mulheres *gitanas* enquanto movimentação, confluindo no sentido da constante mudança, parecido com o vento. Dentro de um ideário feminista, isso quer dizer abrir mão das práticas universalizantes e coloniais. O sentido de libertação não está ligado somente às barreiras do corpo – como as feministas brancas articulam –, mas também às barreiras do território e da própria existência étnica. Isso precisa ficar em mente sempre.

Como é interessante a questão de ser povo tradicional, que carrega a palavra "tradição", historicidade, que contrapõe o apagamento da história da chamada branquitude, do constante processo de universalizar as vivências. Os povos Roma

---

57. CASTILLO, Rosalva Aída Hernandez. Dialogos Sur-Sur: Una lectura latinoamericana de los feminismos poscoloniales. In: BIDASECA, Karina, et al. (Org.). *Legados, genealogías y memorias poscoloniales en América Latina*: escrituras fronterizas desde el Sur. Buenos Aires: Godot, 2015. p. 213.
58. "O encarceramento da mulher cigana ocorreu em diversos presídios e casas de misericórdia em toda a geografia espanhola." FILIGRANA, Pastora. *El pueblo gitano contra el sistema-mundo*: reflexiones desde una militancia feminista y anticapitalista. Madri: Akal, 2020.
59. LIÉGEOIS, Jean-Pierre. *Roma in Europe*. Estrasburgo: Council of Europe Publishing, 2007.

representam um universo marcado pela simbiose ou oposição entre uma identidade cultural supranacional – aqui temos a diáspora e a falta de uma nação como referencial fixo – e as identidades locais, regionais e de parentalidade, em ambientes multiculturais. Por que matar essa cosmovisão na vida das mulheres ciganas? As supremacias precisam deixar de ter espaço. Devemos trazer essa categoria muito utilizada na geografia enquanto possibilidade e alternativa, pois "a resistência nas 'margens' é uma escola para os movimentos emancipatórios do Ocidente. Proponho começar este olhar pelas 'margens' com o mais próximo e esquecido [...], os povos ciganos"[60]. Ainda que seja difícil visualizar os limites dessas margens. Trata-se de um movimento perigoso.

---

60. FILIGRANA, Pastora. "Resistencia en los márgenes", op. cit.

Vanessa Figueiredo Lima

Gordofobia, gênero, classe, raça, sexualidade: uma questão de saúde

ANTES DE COMEÇAR A falar de gordofobia e seus atravessamentos na saúde, direi de que olhar compartilho as teorias. Aqui usarei perspectivas de um saber situado[1] e de uma epistemologia feminista. Assim, busco romper com a ideia da construção de uma ciência imparcial. Escrevo como pesquisadora de saúde coletiva e advogada ativista pelos direitos humanos, mas também como mulher, gorda e pobre. Escrevo, igualmente, como uma mulher que foi magra boa parte da vida e agora é gorda numa medida, de certa forma, aceita pela sociedade, apesar de ser considerada obesa mórbida pelos padrões biomédicos, por meio do índice de massa corporal (IMC), e pelos padrões sociais impostos para mulheres. Entretanto, consciente de que não sofre as mesmas questões de acessibilidade que gordos maiores sofrem.

---

1. HARAWAY, Donna. Situated Knowledges: the Science Question in Feminism and the Privilege of Partial Perspective. *Feminist Studies*, v. 14, n. 3, p. 575-99, 1988.

Contudo, embora em dado momento autora e objeto se confundam, o texto não é um relato pessoal. É fruto também das pesquisas e vivências de outras pessoas e de uma análise sobre direito, feminismo, saúde coletiva e ativismos. Nesse sentido, é uma produção epistemológica feminista de um saber situado em "uma prática da objetividade que privilegia a contestação, a desconstrução, as conexões em rede e a esperança na transformação dos sistemas de conhecimento e nas maneiras de ver"[2].

Aqui, é importante dizer que a pressão estética que sofrem as mulheres de forma geral é muito diferente de gordofobia. A gordofobia não se resume a *bullying* gordofóbico ou pressão estética e nem mesmo é um debate centrado em autoestima, beleza e roupas. Como veremos no decorrer deste capítulo, a gordofobia é uma opressão que estrutura a sociedade e que se intensifica quando somada a outras opressões, como racismo, classismo e machismo.

Dentro da categoria "gorda", algumas ativistas fazem a diferenciação entre gordas maiores e gordas menores. Em um relato em sua tese, Jimenez diz que:

> Não é igual usar tamanho 50 e caber dentro dos espaços do que usar numeração 60 e nunca estar confortável, saber que era gorda maior quando o cinto do avião não fechou não foi necessariamente uma descoberta porque já vinha encontrando dificuldades em encontrar roupas e usar confortavelmente cadeiras, mas não fechar o cinto do avião foi como um balde de água congelada na minha alma...[3]

O corpo gordo é tido como doente, preguiçoso e anormal, tornando-se motivo de piadas. O ganho de peso é considerado a

---

2. Id.
3. JIMENEZ, Jimenez Maria Luisa. *Lute como uma gorda*: gordofobia resistência e ativismo. Tese (Doutorado em Estudos de Cultura Contemporânea)-Universidade Federal de Santa Catarina, 2020.

pior coisa que pode acontecer a uma mulher. Ser magro tornou-se objeto de desejo e de consumo. As classes mais abastadas têm a seu dispor um imenso número de produtos, procedimentos estéticos e profissionais para manter-se magras. Enquanto isso, a população mais pobre fica à mercê de procedimentos cirúrgicos invasivos e dietas restritivas com baixa quantidade de nutrientes.

Com base nessa análise, ser gordo tornou-se cada vez mais indesejável, enquanto ser magro está aliado à noção de saudável, bem-sucedido e rico. Pesquisas também demonstram que o preconceito e a desumanização da pessoa gorda têm origens no racismo. A gordofobia começa a existir quando homens e mulheres negros são associados a corpos maiores. A discriminação dessas pessoas não se origina de descobertas médicas, mas da crença de que o excesso de alimentação e a gordura seriam evidências de "selvageria" e de inferioridade racial[4].

No entanto, é no discurso médico e de saúde que a discriminação contra pessoas gordas encontra seus mais sólidos alicerces. Discurso de verdade absoluta que se vende como ciência, no discurso biomédico muitas práticas abusivas contra pessoas gordas são justificadas como se fossem preocupação com saúde.

Não se pode esquecer que a saúde não é um campo isolado. Os estudos sobre a determinação social dos processos de saúde e doença demonstram que as questões de saúde estão ligadas às estruturas de poder da sociedade, como a exploração capitalista e as questões de gênero e de raça. Pensar sobre saúde é pensar sobre os processos biológicos do corpo, entendendo que a saúde também é um processo social[5].

O discurso biomédico muitas vezes esconde o racismo estrutural da sociedade. A noção de biopolítica e biopoder

---

4. Não é obesidade. É escravidão. *RioOnWatch*, s.d. Disponível em: https://rioonwatch.org.br/?p=47931. Acesso em: 23 jun. 2020.
5. LAURELL, Asa Cristina. A saúde-doença como processo social. In. NUNES, Everardo Duarte (Org.). *Medicina social:* aspectos históricos e teóricos. São Paulo: Global, 1983. p. 133-58.

consiste em fazer viver e deixar morrer[6]. O racismo, nas estruturas da sociedade, possui relação com a biopolítica e o biopoder, assim como com a noção de saúde-doença[7]. Além disso, o discurso de risco em saúde muitas vezes vem acompanhado de um discurso moralizante e culpabilizadora, pautado em um pensamento neoliberal que responsabiliza os indivíduos pelas condições de saúde e coloca a prevenção como questão de um determinado estilo de vida[8]. A simples relação de causa com o estilo de vida que a pessoa leva ou com o tamanho do seu corpo muitas vezes justifica a discriminação e até as relações complexas da sociedade.

Ainda no campo da saúde, o IMC é uma medida obtida a partir da divisão do peso de uma pessoa pelo valor referente ao quadrado de sua altura. A partir desse valor, determina-se se o peso de uma pessoa é considerado saudável, sobrepeso, obesidade ou o que chamam de obesidade mórbida. Essa medida avalia diferentes corpos, com suas particularidades, por meio de um padrão[9]. Enquanto ser gordo é considerado fator de risco para a saúde, as medidas extremas de perda de peso, bem como os prejuízos a perda da saúde em busca de um corpo magro, não são vistos com a mesma preocupação. A insistência para emagrecer pode tornar-se um risco para a saúde, aumentando a possibilidade de doenças futuras[10].

---

6. FOUCAULT, Michel. *Em defesa da sociedade*: curso no Collège de France, 1975-1976. 2. ed. São Paulo: Martins Fontes, 2010. p. 294.
7. OLIVEIRA, Roberta Gondim. Práticas de saúde em contextos de vulnerabilização e negligência de doenças, sujeitos e territórios: potencialidades e contradições na atenção à saúde de pessoas em situação de rua. *Saúde e Sociedade*, v. 27, n. 1, 2018. Disponível em: https://doi.org/10.1590/s0104-12902018170915. Acesso em: 20 ago. 2020.
8. MORAES, Danielle Ribeiro de; CASTIEL, Luis David; RIBEIRO, ALVES, Ana Paula Pereira da Gama. "Não" para jovens bombados, "sim" para velhos empinados: o discurso sobre anabolizantes e saúde em artigos da área biomédica. *Cadernos de Saúde Pública*, v. 31, n. 6, 2015. Disponível em: https://doi.org/10.1590/0102-311X00068914. Acesso em: 1 set. 2020.
9. KRUSE, Maria Henriqueta Luce et al. Saúde e obesidade: discursos de enfermeiras. *Aquichan*, v. 12, n. 2, 2012; FERREIRA, Vanessa Alves. *Desigualdades sociais, pobreza e obesidade*. Tese (Doutorado em Saúde Pública). Fundação Oswaldo Cruz, 2014; PAIM, Marina Bastos; KOVALESKI, Douglas Francisco. Análise das diretrizes brasileiras de obesidade: patologização do corpo gordo, abordagem focada na perda de peso e gordofobia. *Saúde e Sociedade*, v. 29, n. 1, 2020.
10. PAIM, Marina Bastos. Os corpos gordos merecem ser vividos". *Revista Estudos Feministas*, v. 27, n. 1, 2019.

A gordofobia nos serviços e nos estudos de saúde afasta pessoas gordas dos serviços, da atividade física e contraditoriamente atenta contra a saúde. A gordofobia torna impossível uma vida saudável, pois atenta contra a saúde mental, fazendo com que as pessoas tenham ódio de si mesmas e sofram com discriminação e também que reproduza a discriminação que sofre[11].

Da mesma forma que muitas teorias, como as de Nina Rodrigues e Lombroso, deram ao racismo contra negros um cárater científico, a gordofobia é tão incorporada ao discurso biomédico que, para o senso comum, falar de saúde, de exercícios físicos e de alimentação saudável é necessariamente o mesmo que combater a obesidade. Entretanto, o ativismo gordo e antigordofobia já problematizam esse combate à obesidade. Combater um tipo de corpo não significa promover saúde.

A gordofobia médica é relatada de diversas formas, desde os xingamentos e as humilhações, como quando não se leva em consideração a dor do paciente, até a negação do acesso a cuidados essenciais. Na obstetrícia, por exemplo, homens trans gordos e mulheres gordas relatam que, ao engravidar, são atemorizados, tendo de ouvir violências obstétricas relacionadas ao seu peso. Como também são as mulheres negras e os homens trans negros as pessoas que mais sofrem violência ou negligência obstétrica – sendo reivindicado, inclusive, o termo "racismo obstétrico" –, infere-se daí que uma mulher ou um homem trans que sejam, ao mesmo tempo, negros e gordos terão muito mais chance de passar por essa situação.

É importante debater o acesso à alimentação saudável, principalmente em tempos em que os agrotóxicos são usados indiscriminadamente e em que a indústria de ultraprocessados domina a alimentação. O excesso de trabalho, a falta de opções e os preços fazem com que a alimentação saudável seja cada vez menos acessível. A luta por acesso à alimentação de qualidade

---

11. Id.

não pode ser uma luta excludente ou que se paute no medo de engordar, em evitar ser gordo, ignorando que pessoas gordas podem se alimentar de forma saudável e continuar sendo gordas.

No caso das mulheres, historicamente, a busca por uma beleza e um padrão impostos é uma forma poderosa de controle social. Mantê-las ocupadas com dietas e constantemente descontentes com sua aparência e seu corpo é uma forma de torná-las obedientes[12]. A indústria farmacêutica e a indústria da moda capitalista e patriarcal glamorizam as noções sexistas e de supremacia branca[13]. Muitas pessoas gordas, sobretudo mulheres, desenvolvem transtornos alimentares como bulimia e anorexia e têm dificuldade de acesso a tratamento por serem consideradas grandes demais para terem tais transtornos[14]. A vigilância constante de um corpo ligado à punição é uma constante na vida da pessoa gorda[15].

Nesse sentido, há uma luta pela despatologização do corpo gordo. "Obesidade" e "combate à obesidade" são entendidos como termos que transformam em doença o fato de existirem pessoas gordas. Em 2016, a Organização Mundial da Saúde (OMS) deixou de considerar pessoas transexuais como doentes apenas por serem transexuais. Décadas antes, pessoas que se relacionavam com outras do mesmo sexo haviam deixado de ser consideradas doentes. Não seria impensável que ser gordo, por si só, deixasse de ser considerado uma doença e que se entendesse que corpos de diferentes tamanhos sempre existiram.

Mesmo que obesidade fosse um fator de risco, mesmo que se tratasse de uma pessoa doente, o discurso discriminador dirigido a pessoas gordas ainda assim seria inaceitável. A discriminação e a culpabilização não podem afastar pessoas com nenhuma comorbidade dos tratamentos de saúde, enfatizando que é impossível

---

12. WOLF, Naomi. *O mito da beleza:* como as imagens de beleza são usadas contra as mulheres. Tradução Waldea Barcellos. Rio de Janeiro: Rosa dos Tempos, 2018.
13. HOOKS, bell. *O feminismo é para todo mundo:* políticas arrebatadoras. Tradução Ana Luiza Libânio. 7. ed. São Paulo: Rosa dos Tempos, 2019.
14. KLIMECK, Beatriz. *Anorexia? Não, olha seu tamanho:* anorexia nervosa em mulheres gordas. Dissertação (Mestrado em Saúde Coletiva)-Universidade do Estado do Rio de Janeiro, 2020.
15. FOUCAULT, Michel. *Em defesa da sociedade:* curso no Collège de France, 1975-1976, op. cit.

avaliar as condições de saúde de uma pessoa exclusivamente por suas medidas corporais. Um bom exemplo da exclusão no acesso à saúde é a questão de respiradores e máscaras. Fala-se que respiradores comuns atendem apenas pessoas que pesam até 120 quilos e que as macas comumente usadas pelos hospitais não atendem à pessoas gordas. Os serviços de saúde devem prover acessibilidade para pessoas com deficiência e também para pessoas gordas. Atualmente, as pessoas com deficiência enfrentam ainda dificuldade de acessibilidade. Na questão da pessoa gorda a sociedade normalizou que o gordo não tenha o tratamento adequado, com a desculpa de que se é gordo porque se quer.

A normalização desse discurso médico sobre pessoas gordas é disseminada e incorpora o estereótipo de desleixadas, sem higiene, que se alimentam mal e são preguiçosas, características que justificariam os ataques[16]. Ao mesmo tempo que pessoas magras com comportamentos desleixados com a higiene, alimentação com excesso de açúcares, sedentários ainda são vistos como pessoas saudáveis e que se cuidam. Nesse sentido, o ativismo gordo e a produção de ciência em saúde que leve em consideração as questões humanas tornam público o debate sobre as dificuldades enfrentadas por uma pessoa gorda em uma sociedade gordofóbica.

A ativista Ellen Vallias, em sua página no Instagram chamada Atleta de Peso, denuncia o quanto a estigmatização do gordo como preguiçoso o afasta desde a infância da atividade física. Ellen demonstra, por meio de seu corpo, que não há uma limitação de peso para o exercício físico, e sim uma estrutura que acaba fazendo com que pessoas gordas não se exercitem: a começar pelo tamanho das roupas esportivas, pelas constantes humilhações, julgamentos e até mesmo pela falta de representatividade. Além disso, Ellen traz um importante debate sobre a diferença da gordofobia no caso de pessoas negras e sobre como a indústria da

---

16. CAMPOS, Silvana da Silveira et al. O estigma da gordura entre mulheres na sociedade contemporânea. In: PRADO, Shirley Donizete et al. (Org.). *Estudos socioculturais em alimentação e saúde:* saberes em rede. Rio de Janeiro: EdUERJ, 2016.

moda ainda utiliza mulheres gordas menores e brancas quando retrata o corpo gordo em suas campanhas.

Na questão de classe, a gordofobia também tem feito com que pessoas gordas – principalmente mulheres e, mais ainda, mulheres negras – fiquem cada vez mais empobrecidas. Muitas empresas não contratam pessoas gordas pelo estigma de preguiçosas e desleixadas. Percebemos que diversos estudos simplificam a questão da pobreza e do corpo gordo à mera ingestão de alimentos pobres em nutrientes, mas essa relação não se dá de forma tão simples. O próprio fato de ser preterida em atividades mais bem remuneradas, mesmo sendo qualificada, faz com que a pessoa gorda fique cada vez mais empobrecida. Sem contar que as relações de exploração de trabalho, o tempo gasto no transporte público, a falta de momentos disponíveis para o lazer e para o preparo da própria comida são tidos como comuns na sociedade capitalista, que, ao mesmo tempo, culpabiliza as pessoas que não conseguem se manter em determinado padrão de corpo[17].

Ao mesmo tempo que as relações de exploração no campo do trabalho são grandes fatores de adoecimento, exige-se uma aparência saudável para se obter o chamado sucesso profissional. Não é necessário ser saudável, é preciso ter aparência de saudável. No mercado de trabalho, as pessoas gordas sofrem durante a fase de contratação e, mesmo depois de contratadas, são alvo de constante humilhação e de controle de seus corpos[18]. Nesse sentido, Paim explica que

> mulheres gordas têm maior probabilidade ao desemprego, possuem os piores empregos, tal como apontam os estudos que demonstram maior prevalência de obesidade em mulheres de classe social mais baixa, expondo a vulnerabilidade das mulheres

---

17. VASCONCELOS, Nathalia Matoso de. *O estigma das mulheres obesas no trabalho*: um corpo a serviço de quê? Dissertação (Mestrado em Saúde Pública)–Fundação Oswaldo Cruz, 2020.
18. RODRIGUES, Alexandre. Onde os gordos não têm vez. *Superinteressante*, 26 fev. 2014. Disponível em: https://super.abril.com.br/saude/onde-os-gordos-nao-tem-vez/. Acesso em: 25 jul. 2020.

pobres [...] o discurso científico aborda a obesidade como uma doença, formalizando o emagrecimento como uma questão de saúde [...]. Por esse viés, a área da saúde declara uma guerra contra a obesidade, justificada por uma aparente preocupação com a saúde da população. É por essa lógica que [se] justificaria o comportamento daquelas pessoas que se sentem no direito de ficar lembrando a uma pessoa gorda que ela precisa emagrecer – como se não soubesse que é gorda – um discurso que mascara assédios e gera pânico em quem é gordo ao ir ao médico. [...] outro contexto em que a gordofobia acontece é no âmbito das relações afetivo-sexuais, já que a pessoa gorda supostamente não tem um corpo desejável (em comparação ao corpo socialmente aceito), como se o gosto fosse algo nato, e não construído, ensinado, a ponto que até as pessoas gordas se olham no espelho e sentem essa repulsão aprendida. Essa rejeição e o medo da solidão [fazem] com que a pessoa gorda suporte o insuportável, pois afinal ninguém vai querer estar com ela.[19]

O ódio ao corpo gordo, aliado ao discurso de preocupação com a saúde, torna a sociedade, mesmo nos meios mais progressistas, tolerante a discursos de discriminação em vários âmbitos. A humilhação ao corpo gordo é recreativa, está presente em programas humorísticos e em memes e é usada para humilhar opositores políticos sobretudo mulheres.

Quando a disputa narrativa demonstra que essa preocupação com a saúde não é verdadeira e que a gordofobia médica é um problema que atinge a sociedade, alguns setores acusam de "romantização da obesidade" tanto o ativismo quanto parte da ciência responsável por esse tensionamento. Isso não condiz com a realidade, já que a pessoa magra, quando acometida por doença erroneamente associada à obesidade, é interrogada sobre os seus hábitos alimentares, mas tida como uma exceção.

19. PAIM, Marina Bastos. Os corpos gordos merecem ser vividos, op. cit.

Por sua vez, a sociedade não concebe que uma pessoa gorda possa ser esportista e ter uma alimentação saudável[20].

Em sua página no Instagram, a nutricionista Amanda Bezerra Silva relata que a luta antigordofobia é associada ao incentivo do ganho de peso, à preguiça e à piora da saúde. Na verdade, porém, trata-se do incentivo a hábitos saudáveis independentemente do formato do corpo, bem como um debate sobre a desigualdade social, uma crítica ao padrão de beleza e uma luta por acesso à saúde.

Quando passam por atendimento médico, as pessoas gordas experienciam o excesso de preocupação dos profissionais com seu peso, julgamento e negligência. O diagnóstico, muitas vezes, é acompanhado de preconceitos. Pessoas que procuram o médico por causa de uma queda ou lesão recebem como resposta que sentem dor devido ao seu peso. Da mesma forma, pressupõe-se que a pessoa gorda possui doenças que são ligadas à obesidade, como diabetes e hipertensão, mas o simples fator de risco não justifica isso. Se magros também são acometidas por essas doenças o prejulgamento se faz desnecessário. Muitas pessoas não conseguem conceber que haja gordos que se exercitem ou que se alimentem bem.

As experiências vividas pelas pessoas gordas coincidem em alguns aspectos e diferem em outros, como nas disparidades relacionadas à perspectiva interseccional de classe, gênero, raça e sexualidade. A gordofobia se intensifica quando somada a outras opressões, como o machismo, o racismo, a transfobia e a homofobia. As pessoas de sexualidade dissidentes e aquelas que sofrem racismo em nossa sociedade sofrem a gordofobia de forma mais intensa. Assim como as mulheres vivem de forma diferente as violências machistas quando estas se somam ao racismo ou à transfobia, à lesbofobia e à

---

20. SILVA, Marcelle Jacinto da. O medo de engordar em tempos de COVID-19. *antropoLÓGICAS*, 5 maio 2020. Disponível em: https://www.antropologicas-epidemicas.com.br/post/o-medo-de-engordar-em-tempos-de-covid-19. Acesso em: 23 ago. 2020.

bifobia, as mulheres magras e gordas possuem experiências diferentes na sociedade.

Reivindico que a luta antigordofobia não seja cooptada por um discurso individualista, neoliberal e de mercado. Embora falar de autoestima e autoaceitação seja importante, esses temas não devem ser o centro do discurso. Aliás, é exigida das pessoas fora do padrão uma autoestima quase sobre-humana. Não é razoável esperar que as pessoas se amem o tempo todo para que não sejam discriminadas.

Não se trata de uma questão de autoestima e de autoamor. Trata-se do direito de viver em sociedade, de existir, de gozar, de amar, de se exercitar. É o direito de se alimentar em público sem ser alvo de vigilância ou de comentários sobre como a quantidade ingerida é pequena (para uma gorda), sem manifestações de surpresa diante de pratos de salada e – o mais comum – sem o julgamento ao comer algo considerado não saudável. Se uma pessoa magra comer *fast food* todos os dias e continuar magra, nunca será constrangida pela questão da saúde. Se uma pessoa gorda eventualmente comer *fast food* ou um doce, certamente sofrerá constrangimentos.

Pensar a pauta antigordofobia já é por si só uma forma de produção e de educação em saúde. Por todas as questões envolvidas. É uma questão feminista, já que mulheres cis e transexuais são mais afetadas tanto pela pressão estética quanto pela gordofobia. É também uma questão de classe, já que essa discriminação tem afastado pessoas do mercado de trabalho e afetado as classes mais pobres. É uma luta de classes pelo fato de o transporte público, com seus pequenos bancos e catracas, ser extremamente segregador para gordos maiores. É uma questão racial, já que a gordofobia tem profunda ligação com o racismo e já que as mulheres negras são aquelas que mais sofrem com a violência racista e gordofóbica. E é uma pauta LGBTQIA+, já que corpos gordos com sexualidades que fogem ao padrão heterossexual são mais julgados. Importante ressaltar que a visibilidade e a produção de pensamento, tanto no campo acadêmico como no do ativismo, são movidas por ativistas e pesquisadores/as, mas, sobretudo, por pessoas que, em seu dia a dia, enfrentam as violências que lhes são direcionadas.

Muitas pessoas, inclusive profissionais da saúde, já entenderam que cuidar do corpo não é possível quando se tem como base o ódio e da humilhação. No âmbito cultural, as cantoras de funk gordas e negras, ao mesmo tempo que sofriam mais ataques midiáticos, acabaram se tornando referenciais em um deslocamento de narrativa, mostrando que a mulher negra e gorda pode ocupar um lugar diferente do que foi pensado pra ela. Essas mulheres são fortes, sensuais e cheias de vitalidade.

A cantora MC Carol, em entrevista, disse:

> Pô, se eu ligo a televisão e só vejo loira, magra de cabelo liso... Cara, que autoestima eu vou ter de sair na rua? Quando eu entro em uma loja e não acho roupa do meu tamanho, um *short* do meu tamanho... isso é um preconceito *indireto*. Quer mostrar para mim que eu sou anormal.[21]

É impossível pensar um feminismo verdadeiramente inclusivo que não esteja disposto a incluir, com seriedade, a pauta da gordofobia, a pensar na questão dos direitos e da inclusão das pessoas gordas. Nós mulheres gordas, principalmente as gordas maiores ousamos existir e mostrar que é possível viver e lutar mesmo quando a indústria, o capitalismo racista e o patriarcado querem nos manter submissas. Mesmo com roupas, discursos e lugares dizendo que é preciso se fazer caber, seguimos existindo e lutando para que a existência e a resistência não tenham de se encaixar.

---

21. MENDONÇA, Renata. Como funkeira "negra e gorda" virou símbolo de beleza. *BBC News Brasil*, 27 out. 2016. Disponível em: https://www.bbc.com/portuguese/geral-37720897. Acesso em: 20 ago. 2020.

Sofia Favero
Marine Marini

Quase mulheres, quase feministas

A CONTROVÉRSIA EM TORNO da categoria mulher tem constituído debates intensos dentro do feminismo desde sua primeira onda. A quem o movimento se destina? Quem são seus sujeitos políticos? O conhecido discurso de Sojourner Truth marca essa tensão, quando a escritora questiona a uma plateia de mulheres brancas: e não sou eu uma mulher? Estava, em 1851, denunciando racismos e arbitrariedades permeados por uma categoria pretensamente única: a do feminino. O que fazia com que a sociedade a tratasse diferente? Como o paradigma racial delimita fronteiras para sua humanidade e para o acesso a determinados espaços? Quem eram as consideradas mulheres, então?

Atualizado muitos anos depois pela atriz e ativista Laverne Cox[1], o discurso sobre ser ou não uma mulher foi adquirindo

---

[1]. Ain't I a woman – asks Laverne Cox, actress, producer and transgender advocate. *Visual Aids*, 9 abr. 2013. Disponível em: https://visualaids.org/blog/aint-i-a-woman-asks-laverne-cox-actress-producer-and-transgender-advocate. Acesso em: 29 out. 2020.

outros contornos. Embora viesse, em um primeiro momento dessa metade do século XIX, para refletir dada dimensão interseccional, passou a ser também utilizado como um modo de questionar a própria verdade do gênero. Quando falamos "mulher", estamos falando sobre qual mulher? A partir de temporalidades distintas, Sojourner e Laverne apontaram para a insuficiência dessa categoria, dialogando por um movimento de "mulheres" que não fosse excludente. Embora o que estava sendo discutido não remetesse somente a processos de discriminação, mas a práticas racistas e – posteriormente – transfóbicas, esse feminismo com "F" maiúsculo estava sendo convocado a repensar suas próprias hegemonias e normatividades.

Interessada em refletir os elementos hegemônicos que compõem a identidade, Viviane Vergueiro[2] aborda a categoria "cisgênero" enquanto inter-relacionada a marcadores como raça, sexualidade, etnia, corpo, classe. Ao discuti-la, a autora aponta a necessidade de pensarmos as questões dissidentes para além do dualismo "natural" e "artificial". Referidas previamente enquanto mulheres de mentira, de menor valor ou falsas, transexuais e travestis eram lidas conforme variações desviantes de um ideal. Aqueles que permaneciam se identificando com haviam sido designados ao nascer seriam os "biológicos", "verdadeiros" e "naturais" em relação ao gênero. Qualquer outro caminho nesse percurso seria apontado como perversão, desvio, erro, incongruência. Foi com a proposta de romper essa lógica que os transfeminismos impulsionaram a categoria "cisgeneridade".

Na esperança de reposicionar o debate sobre fato e ficção, o transfeminismo não encarou tal empreitada sem dificuldade. Era necessário, antes, responder a toda uma produção nosológica sobre a diferença, que atravessava a mesma matriz do pensamento feminista criticada por outros feminismos dissidentes. Temos a

---

2. VERGUEIRO, Viviane. *Por inflexões decoloniais de corpos e identidades de gênero inconformes*: uma análise autoetnográfica da cisgeneridade como normatividade. Dissertação (Mestrado em Cultura e Sociedade)–Universidade Federal da Bahia, 2016.

Classificação estatística internacional de doenças e problemas relacionados com a saúde, 10ª revisão (CID-10) e o *Manual diagnóstico e estatístico de transtornos mentais*, 5ª edição (DSM-5) produzindo noções estabilizadas em relação às transexualidades, travestilidades e transgeneridades. De acordo com tais guias, sujeitos trans seriam aqueles que sentiriam uma intensa repugnância com a autoimagem, causadora de sofrimento. Em razão disso, demandariam passar por processos de ajustamento que minimizassem as características primárias e secundárias associadas ao sexo designado ao nascer, apontando para o dito sexo oposto.

Tais mudanças, compreendidas pela tradição médica como demarcadoras de uma transexualidade verdadeira, oficial e completa[3], ilustrariam uma lógica da "falta" na análise clínica: existe algo, na constituição psíquica, que não está certo, podendo apenas ser consertado por meio de intervenções no corpo. A coerência entre sexo, gênero e sexualidade, que Judith Butler[4] denominou de matriz da inteligibilidade, seria reestabelecida a partir da ação de um sujeito externo, comumente o médico. Mais contemporaneamente, essa atribuição passou a ser distribuída a outros profissionais, como psicólogos, assistentes sociais, enfermeiros, dentre outros. Ainda assim, permaneceriam entendidas como identidades incompletas, uma vez que a transgenitalização, apesar de buscar a coerência, tampouco seria capaz de garanti-la.

Estudos críticos nesse campo, como aqueles realizados por Daniela Murta[5], Tatiana Lionço[6] e Márcia Arán[7], buscaram apontar como a construção da narrativa sobre a diferença do gênero

---

3. BENJAMIN, Harry. *The Transsexual Phenomenon*. Nova York: Julian Press, 1966; STOLLER, Robert. *A experiência transexual*. Rio de Janeiro: Imago, 1982; FRIGNET, Henry. *O transexualismo*. Tradução Procópio Abreu. Rio de Janeiro: Companhia de Freud, 2002.
4. BUTLER, Judith. *Problemas de gênero:* feminismo e subversão da identidade. Tradução Renato Aguiar. 3. ed. Rio de Janeiro: Civilização Brasileira, 2016.
5. AMARAL, Daniela Murta. *A psiquiatrização da transexualidade:* análise dos efeitos do diagnóstico de identidade de gênero nas práticas de saúde. Dissertação (Mestrado em Saúde Coletiva)-Universidade do Estado do Rio de Janeiro, 2007.
6. LIONÇO, Tatiana. *Um olhar sobre a transexualidade a partir da perspectiva da tensionalidade somato-psíquica*. Tese (Doutorado em Psicologia)-Universidade de Brasília, 2009.
7. ARÁN, Márcia. A psicanálise e o dispositivo diferença sexual. *Estudos Feministas*, v. 17, n. 3, p. 653-73, 2009.

na literatura "científica" fez com que ele ganhasse uma forma diagnóstica. Para alguém ser aquilo que afirma ser, então, seria preciso antes que determinadas *expertises* pudessem esmiuçar tal afirmação. Por que você é dessa forma? O que te leva a pensar isso? Qual é a sua relação com a feminilidade e com a masculinidade? De certa forma, questionamentos que ilustram como é que se dá a relação entre ciência e diferença, em um contexto clínico permeado por leituras psicopatológicas. Mas que, sobretudo, dizem sobre uma desconfiança presente na saúde que, como Berenice Bento[8] afirma, não fica restrita somente à saúde. Ou seja, a postura etiológica vai parar no social, demonstrando uma persecução por causas originárias, característica da crença de que algo deu errado.

Seria possível afirmar que a desconfiança estabelecida pelas ciências psi (psiquiátricas, psicológicas e psicanalíticas), em relação às identidades trans e travestis, demarca também os protocolos feministas de reflexão sobre um sujeito político? De maneira similar ao questionamento clínico sobre "o que é" o feminino, estariam os movimentos sociais interessados em pensar "o que faz de alguém uma mulher"? Abordagens mais solidárias a um setor chamado de feminismo radical, como relata Beatriz Bagagli[9], consideram que a mulher é aquela que passa, desde a infância, pela experiência, analisada por meio do viés da opressão reprodutiva, de ser mulher. Ou seja, existiria uma inescapável e incontornável base biológica sem a qual não haveria forma de se tornar mulher. Essa mulheridade, portanto, estaria altamente comprometida com uma ideia de socialização com resultados previsíveis e reprodução.

São encontradas algumas aproximações. Em primeiro lugar, se o que faz alguém ser mulher é a possibilidade de crescer,

---

8. BENTO, Berenice. *A reinvenção do corpo:* sexualidade e gênero na experiência transexual. Rio de Janeiro: Garamond, 2006.
9. BAGAGLI, Beatriz Pagliarini. *Discursos transfeministas e feministas radicais:* disputas pela significação da mulher no feminismo. Dissertação (Mestrado em Linguística)-Universidade Estadual de Campinas, 2019.

se desenvolver e se constituir dessa forma, aquelas que não foram reconhecidas como "mulheres" desde cedo estariam de fora. Argumenta-se, assim, a existência de um dado inexorável. Segundo, dentro de dada cultura atravessada por postulados hegemônicos sobre o gênero, na qual o masculino ocupa posição de prestígio e reconhecimento, o feminino comumente seria lido como uma experiência subalterna. Em outros termos, deve-se atestar um grau de sofrimento para ter sua participação política legitimada, isto é, mulheres sofrem porque são mulheres – sofrimento que, aqui, está condicionado ao "corpo" cisgênero. Por último, essas duas pressuposições colocariam que a verdade em torno do gênero está circunscrita no sexo, posição amplamente discutida ao longo das últimas décadas.

Desde o ensaio de Gayle Rubin[10], originalmente publicado em 1975, no qual a pesquisadora elabora aquilo que veio a chamar de sistema sexo-gênero, as discussões sobre natureza e cultura, biologia e artifício ganharam outros contornos. A autora estava pensando como a divisão sexual do trabalho resultaria em uma dependência entre os sexos, constituindo mulheres ligadas à vida privada e homens abertos à vida pública. Segundo afirma, essa pretensa oposição entre homens e mulheres exacerbaria o "sujeito" heterossexual como um destino social. Assim, distinções culturais seriam vistas como naturais, fazendo com que o masculino e o feminino não pudessem estabelecer intercâmbios em um mesmo corpo, dadas suas "profundas" contradições, apenas conciliáveis por meio de uma sexualidade complementar e opositiva[11].

As polêmicas em torno da categoria "mulher" vão ganhando cada vez mais corpo. Somando-se a esse debate, Butler[12] começa a tecer críticas à ideia de um sujeito político representativo

---

10. RUBIN, Gayle. O tráfico de mulheres: notas sobre a "economia política" do sexo. In: *Políticas do sexo*. Tradução Jamille Pinheiro Dias. São Paulo: Ubu Editora, 2017. p. 9-61.
11. BUTLER, Judith. *A vida psíquica do poder: teorias da sujeição*. Tradução Rogério Bettoni. Belo Horizonte: Autêntica, 2017.
12. Id., *Problemas de gênero*: feminismo e subversão da identidade, op. cit.

para o feminismo. Sua aposta é a de que o estabelecimento de uma "mulheridade" como bandeira de luta feminista faria com que outras experiências de exercício do feminino fossem colocadas à margem. E que, paradoxalmente, só se chegaria ao que estava sendo apontado como representação a partir da alternativa de um sujeito político indefinido, sem fronteiras tão engessadas. Butler respondia às convocações por uma unidade feminista centrada na categoria "mulher" por refletir como determinadas pautas poderiam evocar mais violência. Quem é esse sujeito a que o feminismo se dirige? É mesmo autoevidente que falamos da mesma "mulher" quando nos referimos a esse campo?

Caminhando próxima a essa provocação, Hélène Cixous[13] convoca: as mulheres precisam parar de se esconder. A autora aponta que a vergonha atribuída ao universo feminino necessita ser quebrada de alguma forma e que fazê-lo por meio da escrita talvez seja uma tarefa interessante. Lá atrás, Cixous dizia às mulheres que escrevessem. Poderíamos pensar em parodiá-la, dizendo: "travestis, escrevam"? Não apenas para guardar a memória, mas para fazer um uso político dela, conforme apostou Sophia Camargo[14] ao registrar as recordações de travestis idosas no sul do Brasil. Fazer do registro uma ferramenta capaz de aterrar e asfaltar o solo que dá sustentação ao campo de uma pesquisa. As "mulheres" pouco enquadradas pela categoria "mulher" têm o que a ser dito? Ouvi-las não significa somente um modo diferente de compreender uma demanda política, conforme aponta Leila Dumaresq[15], mas uma emergência ética diante das inúmeras violências institucionais a que são submetidas aquelas que falam a partir da travestilidade.

---

13. CIXOUS, Hélène. The Laugh of the Medusa. In: ADAMS, Hazard, SEARLE, Leroy (Org.). *Critical Theory since 1965*. Tallahassee: Florida State University Press, 1986. p. 309-20.
14. CAMARGO, Sophia. *Divas, belíssimas e ainda aqui*: primeiras gerações de travestis do sul do Brasil. Dissertação (Mestrado em Psicologia Social e Institucional)–Universidade Federal do Rio Grande do Sul, 2019.
15. DUMARESQ, Leila. Ensaio (travesti) sobre a escuta (cisgênera). *Periódicus*, v. 1, n. 5, p. 121-31, 2016.

Repensar o feminismo implica, portanto, dois processos concomitantes: a destituição de universalidade de uma categoria pretensamente universal, seguida de uma aproximação com os saberes advindos da margem. Vive-se um período curioso na política brasileira. Debates conservadores sobre temas como Escola sem Partido, kit gay e ideologia de gênero estão coordenando o imaginário social. Junqueira[16] denuncia o desafio de uma discussão sobre marcadores minoritários, logo vistos como um ataque a infâncias e famílias. O que o autor denomina de ofensiva antigênero diz respeito aos embates travados contra a discussão sobre diversidade, marcando disputas que ameaçam desvelar a posição, também ideológica, dos que "lutam" contra o espantalho da "ideologia de gênero", colocando em xeque a posição pretensamente neutra, a-histórica e apolítica que esses atores reivindicam para si. Reprisa-se um imaginário de que não é possível, tampouco prudente, falar sobre diferença – ato corroborado por um feminismo que se alia a políticas normativas, com o ambíguo objetivo de manutenção de um *status quo* sobre o próprio "feminino", sob pretexto de uma suposta ameaça às mulheres "de verdade".

Quais são os riscos de assumir uma categoria "mulher" crítica a políticas natalistas, familistas e heteronormativas? É possível um feminino para além da cisgeneridade? Segundo Luce Irigaray[17], o corpo da mulher seria sua via de acesso à linguagem. Nesse sentido, como pensar uma corporificação epistemológica capaz de se valer de si para a produção de conhecimento? O objetivo de pensar qual o compromisso que um contingente estabelece com as travestis está em admitir uma organização hegemônica como insuficiente, às vezes até mesmo arriscada, para aquelas que não estão situadas dentro da

---

16. JUNQUEIRA, Rogério. A invenção da "ideologia de gênero": a emergência de um cenário político-discursivo e a elaboração de uma retórica reacionária antigênero. *Revista Psicologia Política*, v. 18, n. 43, p. 449-502, 2018.
17. IRIGARAY, Luce. O gesto da psicanálise". In: BRENNAN, Teresa (Org.). *Para além do falo*: uma crítica a Lacan do ponto de vista da mulher. Tradução Alice Xavier. Rio de Janeiro: Rosa dos Tempos, 199. p. 171-85.

cisgeneridade, vista enquanto um sistema de compreensão de mundo. Ora, o suposto objetivo de um feminismo convencional é fazer com que a categoria "mulher" – com as premissas normativas que se agrupam nela – tenha menos autoridade sobre as mulheres.

Em outros termos, seria arriscado assumir que o objetivo do feminismo é convocar mulheres a questionarem noções intrínsecas de "feminino"? Dessa compreensão nostálgica que busca resgatar uma feminilidade dócil, amável, cuidadora e sensível, desligar-se de tal atribuição aparece como uma estratégia política consolidada. Embora, diante das travestis e transexuais, tal proposição pareça adquirir outros contornos, dadas as acusações de que seriam "menos" mulheres, mesmo que estivessem alinhadas a críticas sobre os estereótipos sexistas que compõem os papéis entre homens e mulheres da nossa cultura. Tudo isso nos leva a pensar que a presença de sujeitas/es/os que questionam espinhas dorsais das definições acerca do corpo sexuado seria algo convidativo. No entanto, observa-se justamente o contrário: uma falta de espaço para experiências contraditórias e disruptivas. Não se trata somente de quem pode ter sua pauta representada pelo coletivo, mas de quem pode transgredir a própria compulsoriedade do gênero. Dito de um modo simples, deve ser mais fácil fechar os olhos para a força socioinstitucional da transfobia e exigir que as travestis se aventurem nos espaços feministas que possivelmente não as receberão, como se pouco soubessem sobre a experiência de ser mulher – uma vez que essa experiência permanece tributária à cisgeneridade.

Variadas estratégias foram empregadas pelas feministas ao longo do tempo na tarefa de entender os mecanismos que sustentam as estruturas de dominação e controle. O empreendimento de pensar uma história das mulheres, por exemplo, não se limita somente à inclusão de figuras femininas na história já contada, mas deve incluir também a problematização dos processos pelos quais "o gênero dá sentido à organização e à percepção do conhecimento histórico"[18]. A noção de um patriarcado universal que explicaria as origens da opressão dos homens sobre as mulheres tampouco parece dar conta da multiplicidade de formas que as relações de poder generificadas tomaram em diferentes contextos sócio-históricos. Da mesma forma, as análises que se atentam para aspectos econômicos tendem a entender gênero enquanto um subproduto das relações econômicas e terminam por limitar a crítica à divisão do trabalho reprodutivo e à questão da opressão como desdobramentos autoevidentes de um dimorfismo sexual pretensamente imutável. É tarefa dos feminismos dissidentes se atentar para o perigo de, mesmo com intenções libertárias, adotar concepções de gênero a-históricas e totalizantes. "Devemos encontrar formas (mesmo que imperfeitas) de submeter sem cessar nossas categorias à crítica e nossas análises à autocrítica."[19]

As chaves explicativas (puberdade, TPM, menstruação, reprodução, gravidez, puerpério, menopausa) apontadas pela antropóloga Fabiola Rohden[20] exemplificam como a experiência do feminino foi sendo condicionada no discurso científico de maneira fossilizada. O "sexo" encobriu o gênero, no sentido de existir um esforço de manter algo intocado pela cultura, evitando que a ficção somatopolítica dos papéis generificados fique tão descoberta. Seria possível afirmar que a submissão do gênero ao aparato biológico também afetou os diferentes feminismos ao redor do globo? Em caso de resposta positiva, qual seria o lugar reservado às que não se comportam da maneira quimicamente esperada? Àquelas que não passam, tampouco passarão, por processos de desenvolvimento esperados dentro da arena do feminino? Ou àquelas que, por meio de adição de componentes exógenos – fármacos, próteses e procedimentos,

---

18. SCOTT, Joan. Gênero: uma categoria útil de análise histórica. *Educação & Realidade*, v. 20, n. 2, p. 71-99, 1995.
19. Id.
20. ROHDEN, Fabíola. O império dos hormônios e a construção da diferença entre os sexos. *História, Ciências, Saúde – Manguinhos*, v. 15, p. 133-52, 2008.

também empregados por mulheres cis –, produzem corpos que desafiam os limites entre natural e artificial? Rohden informa como seria necessário que as pesquisadoras feministas revisitassem a história da diferença entre os sexos, para questionarem a pretensa aparência de "verdade" pré-discursiva empregada a um processo histórico.

Evidentemente que esta não se trata de uma discussão pelo fim de espaços e organizações de mulheres. É mais sobre pensar uma desconfiança feminista ("como assim, você sabe o que é ser como eu?") que perde de vista a expressiva inconstância do gênero. Travesti, identidade que no Brasil é racialmente marcada, advém de um atravessamento entre trabalho sexual e pobreza[21]. Outras marcas agrupam-se a ela, como é o caso da religião, compondo um paradigma pouco aproximado da "mulher" tal qual a entendemos. Deixamos de nos comprometer com perspectivas cristãs sobre maternidade, bondade e condescendência feminina? É no reconhecimento de que houve algo que ultrapassou as margens da linguagem, em consonância com as proposições de Julia Kristeva[22], que aqui se reflete como o lugar do "quase" pode ser capaz de deslocar a identidade para uma localização provisória, menos fixa.

Quais seriam, contudo, os custos de arcar com a legitimação da identidade "trans/travesti" dentro dos movimentos feministas? Irigaray[23] afirma que o feminino se trataria de um ponto cego para o discurso filosófico; por esse ângulo, torna-se pouco arriscado pensar a travestilidade como algo que produz escapamentos dentro do feminismo. O que nos dizem os femininos intransigentes, dissimulados e hiperbólicos? A patologização feminina foi amplamente discutida por Irigaray. A autora pensava que patologizar as mulheres era um modo de enquadrá-las às expectativas masculinas. Consequentemente,

---

21. FERREIRA, Guilherme Gomes. *Travestis e prisões*: experiência social e mecanismos particulares de encarceramento no Brasil. Curitiba: Multideia, 2015.
22. KRISTEVA, Julia. *Revolution in Poetic Language*. Nova York: Columbia University Press, 1984.
23. IRIGARAY, Luce. "O gesto da psicanálise", op. cit.

a patologização da posição "travesti", e de outras transgeneridades não alinhadas a um ideal binário, aparenta cumprir a função de enxergá-las enquanto incapazes, inferiores, a menos que consigam ser uma caricatura da cisgeneridade.

A indiscrição, o exagero, a publicização de um "eu" que não cabe no que se espera da "mulher" – modesta e misericordiosa, confinada ao lar na estrutura familiar burguesa branca –, que algumas vertentes feministas pretendem libertar e representar, faz com que a própria noção de feminino precise passar por um reposicionamento. Todavia, não se deve entender a pretensa sobreposição da "travestilidade" sobre o marcador "mulher" como um prelúdio ruim. Para estar em coletivos de mulheres, é preciso mesmo se afirmar uma? A problemática se circunscreve na fragilidade de uma afirmação? Mas como sustentar a contradição? Poder reconhecer que, politicamente, faz pouco sentido assumir um lugar de pretensa naturalidade talvez possibilite uma atuação mais potente ao assumir um lugar fronteiriço, como afirma Gloria Anzaldúa[24], tornando os limiares do sistema binário mais porosos. Junta-se a isso o anseio de poder pensar sobre nossas vidas, algo abordado amplamente pela escritora Monique Prada[25], que significa uma alternativa de combate à invisibilização sistêmica semelhante a que nós, no caso, mulheres trans e travestis, somos submetidas. A autora ainda aponta para um desejo de fuga do clichê, ao falar sobre as trabalhadoras sexuais, pensando como o debate em torno da prostituição está situado ou em uma ideia festiva e romantizada ou em uma visão dramática, de mulher de vida sofrida e miserável. Pegando emprestada essa vontade de fugir das saídas fáceis e do antagonismo, propõe-se que a discussão sobre o entrelugar[26] baseie-se no reconhecimento de que ele não é facilmente apreendido.

---

24. ANZALDÚA, Gloria. *La conciencia de la mestiza*/Rumo a uma nova consciência. *Revista Estudos Feministas*, v. 13, n. 3, p. 704-19, 2005.
25. PRADA, Monique. *Putafeminista*. São Paulo: Veneta, 2018 (Coleção Baderna).
26. VERGUEIRO, Viviane. *Por inflexões decoloniais de corpos e identidades de gênero inconformes*: uma análise autoetnográfica da cisgeneridade como normatividade, op. cit.

Não vivemos as vidas das matriarcas, mas criamos nossos próprios deslocamentos maternos. Questionamos concepções de "cuidado" para pensar uma política feminista que não associe somente à mulher a atribuição de zelar pelo outro e entendemos que as alianças, para além daquelas estabelecidas por laços de ordem genealógica, são necessárias. Fazemos coro ao chamado de Donna Haraway[27], *"make kin, not babies"* [crie parentesco, não bebês], quando, muitas vezes isoladas da vida familiar, deslocamos o foco dos laços biogenéticos para aprendermos a importância de *amadrinhamentos* e da constituição de outras relações de *parentesco*, por afinidade, cultivando o cuidado e a responsabilidade umas com as outras, outros e outres. Sendo assim, é necessário perceber o seguinte: repensar o feminismo significa estimular o surgimento de outras possibilidades de (des)identificação, assim como de outros arranjos, mecanismos e conexões para travestis.

O vocabulário feminista permanece conectado a demandas cisnormativas. Por "vocabulário" não há uma redução à gramática, embora, evidentemente, quando dizemos "não é não" ou "chega de fiu-fiu" não estamos perdendo de vista as condições de agência que esses jargões podem tencionar. Todavia, quando dizemos "meu corpo, minhas regras", estamos querendo dizer o quê e a quem? Talvez isso fique mais nítido a partir de afirmações como "eu não vim da sua costela, você que veio do meu útero", que, para além da dificuldade de tradução, abarca o não reconhecimento de trajetórias singulares. A permanência em espaços feministas está condicionada à existência de um útero com capacidades reprodutivas? Diante da lógica das políticas de representação, advogamos por políticas de experimentação[28]. Ao feminismo da Deusa, como diria

---

27. HARAWAY, Donna. Antropoceno, Capitaloceno, Plantationoceno, Chthuluceno: fazendo parentes. *ClimaCom*, ano 3, n. 5, 2016.
28. PRECIADO, Paul. *Transfeminismo*. São Paulo: n-1, 2018. Disponível em: https://www.n-1edicoes.org/book/cordeis/detail_pdf/12. Acesso em: 29 out. 2020.

Donna Haraway[29], adaptamos Ventura Profana[30]: que a sua Deusa transicione! Ainda assim, é preciso ir além com a crítica, pois ela não está reduzida à organização de palavras.

Conforme busca destacar Daniela Dell'Aglio[31], ao situar as problemáticas do movimento Marcha das Vadias na primeira parte da década de 2010, diferentes divisões fizeram com que a questão "trans" fosse alvo de ataques. Feminismos radicais, principalmente, argumentavam que mulheres trans não passariam pela mesma experiência que uma mulher cis. Delimita-se, aqui, um pré-requisito para que o feminino tenha trajetórias em comum caso deseje ser legitimado. Afinal, para além da gramática, a cisnormatividade também estaria "escapando" em outras esferas, como, por exemplo, ao não considerar o elevado número de assassinatos de mulheres trans e travestis como assassinatos de mulheres, mas, sim, de homossexuais. Mortas por terem subvertido a coerência entre sexo e gênero, mas não por demandarem um deslocamento do feminino, por essa perspectiva.

Apesar de discutir um paradigma mais recente, Coacci[32] aponta para registros nos anos 1970, quando mulheres trans já eram impedidas de participar de organizações feministas, sob o pressuposto de que seriam homens disfarçados ou potenciais estupradores. Nos dias atuais, não falamos mais do mesmo tipo de exclusão, ao menos não caricaturalmente, mas de uma inclusão que exige o compromisso com uma identidade aparentemente estável: a "dessa" mulher. Afinal, se reconhecemos que a possibilidade de ser "mulher" está altamente relacionada a apresentar uma história subjetiva ligada ao crescimento de uma menina, que se torna uma adolescente, que se torna uma adulta, que se

---

29. HARAWAY, Donna J. Manifesto ciborgue. In: TADEU, Tomaz (Org.). *Antropologia do ciborgue*: as vertigens do pós-humano. Belo Horizonte: Autêntica, 2000.
30. PROFANA, Ventura e podeserdesligado. Resplandescente, 2019. Disponível em: https://www.youtube.com/watch?v=vUTLYimT6n8. Acesso em: 29 out. 2020.
31. DELL'AGLIO, Daniela Dalbosco. *Marcha das vadias*: entre tensões, dissidências e rupturas nos feminismos contemporâneos. Dissertação (Mestrado em Psicologia Social e Institucional)–Universidade Federal do Rio Grande do Sul, 2016.
32. COACCI, Thiago. Encontrando o transfeminismo brasileiro: um mapeamento preliminar de uma corrente em ascensão. *História Agora*, v. 15, p. 134-61, 2014.

torna uma senhora, então, invariavelmente, precisaríamos assumir que tal enquadramento é, para algumas, impossível.

    Entretanto, esse não é nem de perto um problema. A mulheridade não nos incomodaria se não fossem as coisas que se prendem a ela: o destino compulsório (e indesejado) da mulher completa. Essa figura mitológica, com maior ou menor rigor, faz pouco sentido àquelas que não interligam a produção de outros mundos ao testemunho de uma experiência passada. As quase mulheres, que são quase feministas, falham em condicionar o exercício vital de ser quem se é às obrigatoriedades de uma história única. Respondem a essas violências éticas e políticas com considerações inconclusivas, desprogramadas e pouco solidárias com uma diferença natural entre os sexos. A mobilização passa a ser, sobretudo, uma forma de recusa, de dizer que, por meio dela, buscaremos maneiras criativas de estudar, pensar, produzir e viver fora da circunstância de uma categoria fechada. Se o sujeito político do feminismo é uma mulher plena, concluída e acabada, um feminismo travesti joga suas fichas justamente na direção contrária: a identidade não esgotada. Ela ainda pode nos surpreender.

Camila Fernandes

O martírio da maternidade: reprodução e sexualidade a partir de uma perspectiva interseccional

PENSAR NOS DILEMAS DA maternidade nos convida a refletir sobre variados aspectos das ciências humanas: noções de pessoa, corpo, saúde, cuidados, violência, ativismo, políticas públicas e Estado. A discussão sobre a maternidade tensiona fronteiras entre sexualidade e reprodução, além de problematizar domínios analíticos supostamente opostos, a exemplo do par natureza e cultura.

Os estudos feministas dos anos 1970 se esforçaram em desvincular a maternidade dos determinismos biológicos, atentando para os significados culturais, sociais e simbólicos que a experiência da contracepção engendra na vida das mulheres[1]. Com o desenvolvimento dos estudos de gênero, outras pesquisas contribuíram para explorar a separação entre sexualidade

---

1. BADINTER, Elisabeth. *Um amor conquistado*: o mito do amor materno. Tradução Waltensir Dutra. Rio de Janeiro: Nova Fronteira, 1985; BEAUVOUIR, Simone. *O segundo sexo*. Tradução Sérgio Milliet. Rio de Janeiro: Nova Fronteira, 2014.

e reprodução, atentando para uma relativa autonomia entre campos distintos da experiência humana[2].

Na antropologia, pesquisas mostraram dinâmicas de cuidados nas quais a ideia nuclear de família foi tensionada, indicando formas ampliadas de exercício das maternidades, a exemplo das redes de circulação de crianças[3]. Na sociologia, a maternidade passou a ser analisada em seu caráter relacional e à luz de outras posições de poder[4].

Assim, o tema das maternidades como categoria de estudo aparece dotado de variadas possibilidades teórico-metodológicas. Os estudos de gênero e os feminismos interseccionais marcam a importância de pensar os fenômenos sociais a partir de uma perspectiva dinâmica entre os marcadores sociais da diferença[5]. Nesse sentido, as maternidades devem ser apreciadas enquanto um fenômeno polissêmico ancorado em vivências concretas e atravessadas por diferentes marcadores sociais, tais como raça, classe social, geração, deficiência, território e trabalho. Um exemplo dessas diferenças se encontra na análise desenvolvida por Angela Davis[6], no exame das tensões internas ao movimento feminista com relação à luta pelos direitos sexuais e reprodutivos, sobretudo nos sentidos ideológicos do debate sobre controle da natalidade articulado à reprodução da pobreza[7].

---

2. YANAGISAKO, Sylvia Junko; COLLIER, Jane Fishburne. Toward a Unified Analysis of Gender and Kinship. In: YANAGISAKO, Sylvia Junko; COLLIER, Jane Fishburne (Org.). *Gender and Kinship*: Essays toward an Unified Analysis. Stanford: Stanford University Press, 1987; MOORE, Henrietta. Compreendendo sexo e gênero. Tradução Júlio Assis Simões. Disponível para fins didáticos em: https://edisciplinas.usp.br/pluginfile.php/269229/mod_resource/content/0/henrietta%20moore%20compreendendo%20sexo%20e%20g%C3%AAnero.pdf. Acesso em 17 mar. 2021; Understanding Sex and Gender. In: INGOLD, Tim (Org.). *Companion Encyclopedia of Anthropology*. Londres: Routledge, 1997. p. 813-30.
3. FONSECA, Claudia. *Caminhos da adoção*. São Paulo: Cortez, 1995.
4. SCAVONE, Lucila. A maternidade e o feminismo: diálogo com as ciências sociais. *Cadernos Pagu*, n. 16, p. 137-50, 2001.
5. MOUTINHO, Laura. Diferenças e desigualdades negociadas: raça, sexualidade e gênero em produções acadêmicas recentes. *Cadernos Pagu*, n. 42, p. 201-48, 2014.; PISCITELLI, Adriana. Interseccionalidades, categorias de articulação e experiências de migrantes brasileiras. *Sociedade e Cultura*, v. 11, n. 2, 2008.
6. DAVIS, Angela. *Mulheres, raça e classe*. Tradução Heci Regina Candiani. São Paulo: Boitempo, 2016.
7. Davis mostra as contradições do movimento feminista, expressas no debate acerca da redução do número de filhos entre famílias brancas e negras. Para as primeiras, a luta pelo controle da natalidade aspirava à emancipação da maternidade compulsória, lócus da reprodução social da dominação de gênero, enquanto, para as mulheres negras, a retórica do controle de natalidade pressionava mulheres pobres a terem menos filhos, uma vez que sua prole era considerada perigosa ao desenvolvimento da nação.

Por outros caminhos, a qualificação do trabalho reprodutivo contribuiu para novos aportes epistemológicos nos estudos sobre maternidades. Trata-se de pesquisas sobre a (in)visibilidade do trabalho de cuidado, voltadas às redes de interdependências entre pessoas, instituições e familiares que ofertam e/ou recebem cuidados, voltados à gestão tanto da casa como de idosos e/ou crianças[8].

Nas duas últimas décadas, o tema da maternidade vem passando por uma nova efervescência política, ao aglutinar debates sobre novas tecnologias reprodutivas, parto humanizado, violência obstétrica e políticas do corpo[9]. O tema também constitui um importante idioma na gramática de acesso a direitos, em especial na luta pela reparação da violência de Estado perpetrada em territórios de favela[10]. Outras pesquisas exploram os efeitos que as experiências de sexualidade e reprodução possuem no cenário geopolítico local e internacional, ao mobilizar debates sobre políticas públicas, justiça reprodutiva, Estado e democracia[11].

Logo, ao eleger a categoria "maternidades", no plural, como porta de entrada para reflexão sobre o campo da reprodução, não pretendo restringir o fenômeno a análises que tratem da tríade mulher-mãe-filho; proponho, isto sim, registrar um conjunto de trabalhos que exploram as múltiplas conexões que a maternidade possui enquanto fenômeno social complexo. Este breve recorte expositivo não tem a pretensão de estabelecer uma perspectiva única sobre a temática, mas procura apontar um quadro de agendas de trabalho e abordagens empíricas diversificadas. No entanto, ainda assim, em nossa cultura, "mãe" é uma categoria com enorme poder de apagamento das

---

8. SORJ, Bila. Arenas de cuidado nas interseções entre gênero e classe social no Brasil. *Cadernos de Pesquisa*, v. 43, n. 149, 2013; HIRATA, Helena; GUIMARÃES, Nadya Araujo. *Cuidado e cuidadoras*: as várias faces do trabalho do care. São Paulo: Atlas, 2012.
9. CARNEIRO, Rosamaria G.; RIBEIRO, Fernanda B. Partos, maternidades e políticas do corpo. *Civitas*, Porto Alegre, v. 15, n. 2, p. 181-9, 2015.
10. VIANNA, Adriana e FARIAS, Juliana. A guerra das mães: dor e política em situações de violência institucional. *Cadernos Pagu*, n. 37, 2011, pp. 79-116.
11. BROWN, Wendy. Finding the Man in the State. *Feminist Studies*, v. 18, n. 1, p. 7-34, 1992.; DINIZ, Debora. *Zika*: do sertão nordestino à ameaça global. Rio de Janeiro: Civilização Brasileira, 2016.

desigualdades. Geralmente, essa única palavra oblitera uma variedade de situações e contextos sociais: "Ah! Mas ela é mãe. Ela tem que fazer!".

A partir desta breve introdução de discussões relativas às maternidades, à sexualidade e à reprodução, procuro desenvolver algumas considerações sobre a pesquisa desenvolvida no percurso de minha tese de doutorado[12]. A pesquisa de campo consistiu em uma etnografia multissituada realizada durante dois anos nos morros da Mineira e do São Carlos, Zona Norte da Cidade do Rio de Janeiro[13]. A primeira parte da discussão se concentra em dois espaços voltados aos cuidados das crianças, a saber: as casas de "tomar conta" e as creches públicas. A segunda parte da pesquisa analisa a centralidade de três "figuras" muito presentes no discurso popular: as "novinhas", as "mães nervosas" e as "mães que abandonam os filhos". Essas formas de enquadramento dizem respeito a mulheres apontadas como exemplos de uma "sexualidade errada" e de maternidades desviantes.

No vaivém entre casas e creches, entrevistei gestores públicos da educação, saúde e segurança, assim como frequentei espaços de convívio dos moradores. Ao longo da escuta dos meus interlocutores, algumas mulheres eram localizadas como exemplares de condutas dissidentes que afirmavam a "irresponsabilidade" das mulheres. Durante discussões sobre problemas gerais que atingem a favela, como a questão da segurança, da qualidade das escolas ou do acesso precário aos serviços de saúde nas Clínicas da Família da região, as pessoas indicavam um conjunto de desordens sociais relacionadas ao comportamento sexual e reprodutivo das mulheres moradoras da favela.

Nesse sentido, existiria uma espécie de continuidade entre comportamentos femininos localizados como "errados", a

---

12. Intitulada *Figuras da causação: sexualidade, reprodução e acusações no discurso popular e nas políticas de Estado*, foi defendida em 2017, no programa de pós-graduação em Antropologia Social do Museu Nacional da Universidade Federal do Rio de Janeiro (PPGAS/MN/UFRJ), e orientada pela professora doutora Adriana Vianna.
13. A pesquisa foi desenvolvida entre março de 2014 e abril de 2016.

começar da existência da "novinha", passando pela "mãe nervosa" e culminando na "mãe que abandona os filhos", conforme aludem os interlocutores. A "novinha" é identificada como uma criança ou adolescente que possui um comportamento "precoce" e "ostentação" em relação à sexualidade. Esse fato conduziria a uma "gravidez indesejada", na qual "a mãe nova não tem condições de criar a criança e acaba ficando nervosa com os filhos". A "mãe nervosa" é objeto de problematização da sociabilidade local e institucional, na medida em que fala sobre mulheres identificadas como mães "desequilibradas" e "sem paciência" com as crianças. Ao final desse processo, chegamos à existência de "mães que abandonam os filhos", uma vez que determinadas mulheres tiveram filhos "sem planejamento" e "não desejaram ser mães", fatores que colaborariam para o fenômeno do "abandono de crianças" e, no limite, para a "violência na sociedade". Na perspectiva dos interlocutores, a criminalidade e determinados desvios de caráter na vida adulta possuem uma forte relação com a criação familiar, na qual o comportamento materno ocupa um lugar central.

Nesse sentido, a pesquisa de doutorado buscou compreender de que forma o cuidado das crianças, em tal contexto, é atravessado por representações em torno de "mulheres erradas" e maternidades dissidentes que não atendem às expectativas sociais relativas a formas "corretas" de ser mãe. Essas formas de identificar as maternidades falam de processos de enquadramento de gênero, raça, sexualidade, classe e território, uma vez que dizem respeito a categorias de acusação associadas a mulheres pobres, negras e moradoras de favelas.

Logo, vale enfatizar que estamos nos referindo a mulheres que habitam territórios historicamente racializados e racializadores, espaços-alvo de estereótipos pejorativos que recaem sobre determinadas populações, atingidas pelas ações militarizadas do Estado. Tais estigmas dizem respeito a categorias conhecidas no senso comum, tais como "marginal", "bandido" ou "vagabundo", e que, no entanto, a partir das evocações mencionadas, possuem inflexões generificadas relativas aos comportamentos femininos. A "novinha", a "mãe nervosa" e a "mãe que abandona" são nominativos que remetem a mulheres localizadas como realizadoras de uma sexualidade "irresponsável", que "não sabem se prevenir" e "fazem um filho atrás do outro", em alusão a mulheres identificadas como essencialmente reprodutivas. A suposta demanda excessiva de crianças feitas "sem planejamento" é localizada como responsável por perturbar o bom funcionamento da política pública, uma vez que, de acordo com as falas locais: "o Estado" é obrigado a atender uma demanda acima de sua capacidade.

Logo, o trabalho da tese consiste em compreender a força que determinados discursos públicos e ordinários possuem no cotidiano da navegação social, uma vez que essas evocações colaboram para a reificação de figuras femininas exemplares que permitem gerir recursos sociais escassos, tais como as vagas nas creches públicas da região, entre outros serviços sociais.

O campo das maternidades, enquanto esfera que reúne tanto a sexualidade quanto a reprodução, permite analisar a conexão entre projetos de construção de nação e políticas de controle da sexualidade das mulheres, que, nesse caso, são reavivadas a partir de determinados territórios periféricos. Assim sendo, o tema da reprodução sexual feminina mobiliza representações, expectativas e valores que mostram como gênero, sexualidade, raça e território modulam processos de formação de Estado e gestão de populações.

Nesse contexto, pude observar a coexistência entre as casas de "tomar conta" de crianças e as creches públicas. As casas de "tomar conta" trata-se da própria casa das moradoras que cuidam de crianças. Esse é um trabalho situado na informalidade e que possui um papel essencial no atendimento da demanda pelo cuidado de crianças nas periferias, uma vez que atende às famílias que não conseguiram uma vaga na creche.

Nas creches, um bem social escasso, há uma procura por vagas expressiva que se configura enquanto reinvindicação histórica das classes populares. Em razão dessa incapacidade de atender à demanda pelo cuidado das crianças, as falas cotidianas sobre escassez se transformam em acusações sobre mulheres que "não se planejam para ter filhos", conforme reiteram os gestores públicos entrevistados.

Em ambos os espaços, são produzidas representações sobre a figura da "mulher errada", nas quais a maternidade aparece como um valor moral com forte apelo social. Trata-se de espaços em que as crianças circulam e nos quais se apresentam acusações relativas à conduta de determinadas mulheres que não performam os cuidados esperados pela moralidade local. Assim, fofocas, esporros e rumores são dirigidos às mulheres a partir de uma pedagogia do constrangimento cotidiano que possui um efeito de controle e censura dos comportamentos femininos.

Maternidades e redes de cuidados

UM CAMINHO PARA PENSAR o tema das maternidades envolve o questionamento sobre quais são as condições concretas de exercício do cuidado de alguém. Quais são as redes e as relações com as quais cada pessoa pode contar? Nesse aspecto, proponho pensar em circuitos locais de cuidados, que dizem respeito às ações relativas à continuidade da vida de outras pessoas. Seria infinito listar a quantidade de gestos envolvidas na atenção aos outros: lavar, limpar, cozinhar, dar amor, prover sustento material, cobrar, educar, entre outras muitas que visam à manutenção da vida humana. Importante lembrar que essas tarefas são polivalentes, ou seja, demandam múltiplas competências e funções, ao mesmo tempo que envolvem tanto as emoções vistas socialmente como positivas (por exemplo, carinho e amor) quanto as atividades vistas como negativas (por exemplo, limpar, cobrar e cuidar).

Historicamente, na economia capitalista e neoliberal, o trabalho de cuidado é denominado em oposição ao dito trabalho produtivo, este voltado às ações que supostamente são realizadas no espaço público[14]. O trabalho produtivo é considerado como gerador de valor de mercado, enquanto as tarefas domésticas e o trabalho de cuidado são denominados trabalho reprodutivo. Essas são tarefas que não contam como produto interno bruto (PIB) e não são levadas em consideração nos indicadores de produção de riqueza do país. Localizamos, assim, o poder de um campo científico – a economia – operando uma divisão que atribui valores (econômico e social) às atividades que possuem uma divisão de gênero, raça e classe muito demarcada.

A oposição entre trabalho produtivo e reprodutivo é uma das poderosas ficções de um mundo político marcado por uma economia masculinista. Essa economia exalta um conjunto de valores específicos, a saber, os da racionalidade, na medida em que o cuidado é visto como uma atividade emocional que é livre de razão. Nessa lógica, tal ação não necessita de remuneração, uma vez que as mulheres são consideradas essencialmente carinhosas e o amor materno é dado como gratuito, espontâneo e livre de retribuição.

Um segundo aspecto consiste no individualismo enquanto uma filosofia de vida política e moral, na crença de que os sujeitos são autossuficientes e independentes uns dos outros. Nas ciências sociais, o sujeito do conhecimento é o homem branco universal que não possui uma criança para tomar conta. Essa característica é possível de ser observada desde os fundadores da sociologia até o primeiro texto da declaração de direitos *do homem*, que foi construído a partir de um sujeito particular[15].

Um terceiro aspecto diz respeito à valorização da produtividade e da modernidade no mundo contemporâneo, expressas

---

14. FEDERICI, Silvia. *Calibã e a bruxa*: mulheres, corpo e acumulação primitiva. Tradução Coletivo Sycorax. São Paulo: Elefante, 2017.
15. HUNT, Lynn. *A invenção dos direitos humanos*: uma história. Tradução Rosaura Eichenberg. São Paulo: Companhia das Letras, 2009.

em relações de trabalho avaliadas por um contínuo linear acumulativo que não sofre interrupções[16]. A valorização de um tempo do progresso se dá em detrimento do tempo fragmentado do cuidado, o qual, por sua vez, visa à reprodução da vida social. Nessa perspectiva, ideias como "tempo é dinheiro" são exaltadas, ao passo que o tempo do cuidado não é devidamente qualificado nos principais espaços de controle social e político. A título de exemplo, vale ressaltar que a lei que regulamenta o emprego doméstico só foi garantida no ano de 2013 e que, no campo do direito de família, existem poucos instrumentos legais para obrigar um homem a valorizar o tempo de cuidado das mulheres mães quando estas são as principais provedoras de atenções aos filhos ou fazer com que ele também se responsabilize por essa atividade[17]. Finalmente, localizamos a divisão racial do trabalho de cuidado estruturada a partir de determinados serviços organizados com base na exploração de pessoas negras. Trata-se de pessoas que prestam serviços domésticos e de cuidados para grande parte da população e que não possuem condições dignas de proteger a própria família.

Essa economia masculinista de pensar o mundo e as relações sociais estabeleceu que o trabalho de cuidar das pessoas e das casas é uma atividade que não produz mercadorias. Nesse sentido, esse trabalho passa como se não fosse importante e deve lutar para ser reconhecido em diferentes setores da sociedade. A autora Anne McClintock lembra que "o trabalho doméstico das mulheres foi objeto de um dos atos de desaparecimento mais bem-sucedidos da história moderna"[18]. Ou seja, o apagamento do valor do trabalho de cuidado é fundamental

---

16. FERNANDES, Camila. O tempo do cuidado: batalhas femininas por autonomia e mobilidade. In: RANGEL, Everton, FERNANDES, Camila; LIMA, Fátima (Org.). *(Des)prazer da norma*. Rio de Janeiro: Papéis Selvagens, 2018. p. 297-320.
17. Os direitos foram reconhecidos por meio da emenda constitucional n. 72/2013, conhecida como PEC das Domésticas (proposta de emenda constitucional), regulamentada através da lei complementar no ano de 2015.
18. MCCLINTOCK, Anne. Couro imperial: raça, travestismo e o culto da domesticidade. *Cadernos Pagu*, n. 20, p. 58, 2003.

para a reprodução de desigualdades de gênero, raça e classe que remete a lógicas coloniais e imperialistas.

Dessa forma, a maternidade enquanto uma das experiências de cuidados é desqualificada socialmente, ainda que sua dimensão simbólica seja exaltada continuamente em nosso imaginário. Além da maternidade, todos os trabalhos feitos no dito espaço público e que envolvem relações de cuidados sofrem subalternização: enfermagem, serviço social, pedagogia, educação, coleta de lixo, mercado de serviços e emprego doméstico são ramos de atuação que revelam de que forma determinados setores do trabalho são rebaixados em função da feminização e racialização das atividades de cuidado, que perdem seu valor social e econômico.

A socióloga Shellee Colen chamou a forma desigual de distribuição do acesso ao cuidado de "reprodução estratificada", uma estrutura fundamental na manutenção de hierarquias de dominação de classes[19]. Essas hierarquias falam de profundas redes de desigualdades: "babás", "empregadas domésticas", "patroas", "mães ausentes" e "mães presentes" não são categorias neutras, mas remetem a assimetrias que se atualizam todos os dias no Brasil a partir da pergunta sobre quem pode, afinal, fazer uma família e cuidar de seu próprio filho. Durante o ano de 2020, no contexto da epidemia do novo coronavírus, presenciamos o caso de uma patroa que deixou uma criança de 5 anos no elevador enquanto fazia suas unhas[20]. A negligência com a criança ocasionou um acidente mortal ao menino, filho de uma trabalhadora doméstica. Trata-se de uma situação que escancara a dimensão desumanizante que a reprodução estratificada em nossa sociedade pode apresentar, indicando a força

---

19. COLEN, Shellee. Like a Mother to Them: Stratified Reproduction and West Indian Childcare Workers and Employers in New York. In: LEWIN, Ellen (Org.). *Feminist Anthropology*: a Reader. Malden: Blackwell, 2006.
20. O caso ocorreu em um edifício de classe alta em Recife. Mirtes Santana de Souza, mãe do menino Miguel Otávio Santana da Silva, de 5 anos, trabalhava na casa de Sari Gaspar Côrte Real, esposa de Sérgio Hacker, prefeito da cidade de Tamandaré. De acordo com as investigações policiais, a patroa deixou o menino no elevador sozinho, fato que desencadeou a queda da criança do prédio.

dos processos de racialização, gênero e classe nas tarefas de atenção aos outros.

Logo, nas situações em que mulheres podem contar com uma significativa rede de apoio – parentes, escolas, creches, apoio estatal, amigos –, a experiência do cuidado pode ser mais compartilhada. Assim, mulheres mães têm a possibilidade de viver essa experiência de forma menos solitária, além de alcançarem mobilidade social e algum tipo de autonomia. Vale lembrar que o termo "solidão" não se refere somente a uma dimensão afetiva da experiência, compreende também um universo pragmático de atenção às demandas da conciliação de uma vida profissional com a formação de uma família. Quanto mais solitária essa experiência, maiores o acúmulo de trabalho, a responsabilidade moral, o aumento de dívidas financeiras e a interrupção de projetos profissionais.

A quarentena, com o distanciamento social, aprofunda essa experiência de solidão, cortando o fluxo da circulação de crianças. Logo, podemos compreender que as mães em situação de isolamento são parte de um grupo vulnerável de atenções. São mulheres que precisam de apoio para cuidar de outras pessoas que delas dependem. Além de mulheres mães, a quarentena nos mostra que qualquer sujeito envolvido em circuitos de cuidados – a idosos, por exemplo – está comprometido com uma dinâmica na qual atender o outro faz parte de uma prática cotidiana. Uma economia em que a ideia de um indivíduo livre de obrigações sociais é uma falácia e na qual a interdependência é a palavra-chave, uma forma poderosa de produzir vida[21]. Vale ressaltar que as duas pontas do cuidado foram atingidas durante a pandemia – a chamada "crise do cuidado" –, as crianças e os idosos trancados em casa, estes por serem um grupo geracional vulnerável.

---

21. BUTLER, Judith. Vida precária. *Contemporânea – Revista de Sociologia da UFSCar*, v. 1, n. 1, p. 13, 2011.

Sem o tempo da escola e da creche propiciado por instituições públicas ou privadas. Sem a comida consumida nesses espaços. Sem o trabalho dos professores que educam crianças e adolescentes. Sem convívio social e sem mobilidade pelo espaço público. Essa é a realidade de muitas famílias, mães e filhos trancafiados, uns com os outros, em uma relação ainda mais compartilhada do que antes. Os papéis de mãe e professora conflitam. Criar, cuidar, educar, proteger e cobrar nunca foram tarefas tão amalgamadas. Presenciamos a luta e a mobilização de forças de muitos adolescentes de camadas pobres, os quais ou não têm acesso à internet ou não possuem um computador, pelo adiamento do Enem, fato que intensifica a desigualdade das condições de disputa por uma vaga nas universidades públicas[22]. Paralelamente, o preço de aparelhos eletrônicos aumentou, o *e-commerce* ampliou sua atuação e as ações em tecnologia digital dispararam na bolsa de valores, conforme mostram as notícias de jornais[23].

A ilusão da divisão entre trabalho público e privado foi rompida. O trabalho de "fora" invade o de "dentro", mostrando que não há a possibilidade de um trabalho produtivo sem a vitalidade das relações reprodutivas, sem o trabalho fragmentado e infindável do cuidado. Nesse contexto, cabe questionar: como tal trabalho não conta para a riqueza de um país? Que espécie de "feitiçaria capitalista" devemos quebrar[24]?

A experiência relativa aos cuidados piora quando mais se desce na escala social. No contexto do cotidiano de mulheres mães moradoras de favela, elas contam que seus filhos estão com fome. As casas são pequenas, e muitas estão prejudicadas com a falta de água. A escola era um lugar de alimentação, e a ansiedade do

---

22. MOTODA, Érika. Adiamento do Enem dá um respiro a estudantes, mas não ameniza disparidades entre ricos e pobres". *Estadão*, 21 maio 2020. Disponível em: https://educacao.estadao.com.br/noticias/geral,adiamento-do-enem-da-um-respiro-a-estudantes-mas-nao-ameniza-disparidades-entre-ricos-e-pobres,70003309647. Acesso em: 17 mar. 2021.
23. SORIMA NETO, João. Com pandemia, ações de "techs" brasileiras ganham destaque na Bolsa. *O Globo*, 17 ago. 2020.
24. PIGNARRE, Philippe; STENGERS, Isabelle. *La Sorcellerie capitaliste*: pratiques de désenvoutement. Paris: La Découverte, 2005.

confinamento se materializa em uma fome impossível de ser saciada. Uma moradora do morro da Mineira conta que jamais, em toda sua vida, viu seus filhos sentirem tanta fome. A autora Carolina de Jesus[25] ao relatar sua vida na favela, demarca a pressão da experiência ordinária de ter de alimentar os filhos. Em meio às diferenças entre épocas e contextos, a realidade de mulheres que precisam lutar pela própria sobrevivência se perpetua todos os dias.

Finalmente, na conjuntura política, presenciamos muitos ataques às ciências humanas. O país é governado por um presidente de extrema direita que insiste em ressoar a imagem da "família de bem". Seu governo deseja silenciar um dos movimentos mais interessantes dos últimos anos: os diferentes feminismos são difamados por meio da categoria pejorativa de "ideologia de gênero". Por outro lado, uma produção intensa nas ciências sociais segue firme em meio à pandemia. Movimento legítimo de afirmação das ciências.

Diante desse fluxo de produtividade, cabe uma reflexão sobre a condição de mulheres mães nesse período, sobretudo quando elas são as principais responsáveis pelo cuidado de seus dependentes. Como podemos criar formas de reconhecimento público do trabalho reprodutivo? Na longa duração histórica, a maternidade se situa em meio a uma disputa entre dever das famílias e dever do Estado. Ora é responsabilidade da família, ora do governo. No entanto, entre as políticas de esquerda e direita, o filho, na maior parte das vezes, é responsabilidade da mãe. Nesse lugar-comum se reafirma o fato de que homens têm direitos de paternidade, ao passo que mulheres possuem "deveres de maternagem"[26].

Como dito na introdução deste artigo, falar sobre mães é falar de um mundo de coisas. No entanto, é como se esse fosse

---

25. JESUS, Carolina Maria de. *Quarto de despejo*: diário de uma favelada. Rio de Janeiro: Francisco Alves, 1960.
26. WEBER, Florence. Lares de cuidado e linhas de sucessão: algumas indicações etnográficas na França, hoje. *Mana*, v. 12, n. 2, p. 479-502, 2006.

um problema de uma mulher só. Que aproveitemos este momento para nos repactuar com uma das matérias básicas das ciências humanas e da nossa humanidade: a interdependência. A maternidade e a valorização do trabalho reprodutivo como experiência concreta de implosão do sujeito unitário é um caminho poderoso para esse exercício. Enquanto uma teoria política e normativa, desejamos que a temática do trabalho de cuidado possa ser contemplada em sua particularidade e diversidade nas discussões dos estudos de gênero por meio dos diferentes feminismos.

Bárbara V.

Feminismo e trabalho sexual

Introdução

POR QUE HÁ TANTA resistência em aceitar uma atividade que ocorre de forma consensual, onde alguém oferece um serviço pelo qual outro alguém paga? Por que parte do movimento feminista, incluindo o feminismo marxista e o feminismo radical, adota um posicionamento abolicionista em relação à prostituição? A prostituição seria apenas um trabalho como outro qualquer? Estariam essas mulheres que exercem a atividade sendo submetidas à exploração? Ao longo deste texto, pretendo esclarecer essas e outras questões, com base na minha experiência pessoal enquanto mulher, feminista e trabalhadora sexual.

O lugar da mulher

CONFESSO QUE NUNCA SONHEI em ser uma garota de programa, acho que nenhuma mulher tem esse sonho. Há uma década ou menos, meu desejo era me casar com o homem dos sonhos: um homem forte, bonito, que me protegeria, cuidaria de mim e me daria uma família. Acho que é isso que todas nós mulheres somos ensinadas a desejar. Naquela época, a visão que eu tinha sobre as mulheres que se prostituíam era acompanhada de um sentimento de pena, como se elas estivessem naquela atividade por não terem alcançado aquilo que seria o desejo de toda mulher: o casamento. Eu lembro que havia um ponto de prostituição de rua no bairro onde eu morava, e sempre que eu passava por lá eu olhava as meninas com tristeza, pensava que elas não queriam estar ali, eu não conseguia enxergá-las de outra maneira que não fosse como vítimas.

Essa visão, que coloca as mulheres que se prostituem como vítimas à espera de serem salvas e tiradas daquela atividade, está relacionada com uma cultura machista que exerce grande controle sobre a sexualidade feminina. Nós mulheres fomos ensinadas que a nossa realização estaria no relacionamento com um homem e, para isso, buscamos a aprovação masculina. A mulher ideal para o homem em nossa sociedade é aquela recatada, "difícil", de respeito, moça de família, enfim, a mulher "pra casar". Em oposição a esse estereótipo está o da mulher "fácil", promíscua, puta, aquela que não serve para casar. É dele que nós mulheres tentamos ao máximo nos distanciar, sem perceber que estamos fazendo isso para nos encaixarmos nos valores machistas da nossa sociedade, e isso nos impede de viver a nossa sexualidade de forma livre.

Existe uma divisão que estabelece duas categorias de mulheres: uma que tem valor e dignidade, outra que é desqualificada; uma é respeitável e admirada, outra, menosprezada; uma que tem direito de ser amada e de ter uma família, outra que é discriminada e excluída de qualquer possibilidade afetiva. Diante de toda essa construção simbólica, é compreensível que a sociedade não consiga olhar para as profissionais do sexo sem condená-las ou vitimizá-las.

Essa divisão entre as mulheres de valor e as que não prestam é baseada na sexualidade. A repressão da sexualidade feminina é um dos pilares da sociedade patriarcal. Para a psicanalista e sexóloga Regina Navarro, controlar a sexualidade das pessoas significa controlar as pessoas. Os valores morais são absorvidos de tal forma, que a repressão sexual ocorre de modo inconsciente, e as escolhas pessoais, predeterminadas, assumem a aparência de escolhas livres[1].

Somos ensinadas a estar sempre em busca de um relacionamento amoroso, por isso muitas mulheres se sentem desvalorizadas ou até mesmo usadas quando estão numa relação com um homem que envolve apenas sexo casual. E o prazer sexual da mulher? Essa ideia gera um controle sobre a sexualidade feminina, ao excluir a possibilidade de que esta seja vivenciada fora de um relacionamento estável. A maioria das mulheres está sempre em busca do amor, e, muitas vezes, o sexo só aparece como consequência deste.

A mulher pode querer o sexo apenas para o seu prazer ou para outros fins, como o de obter renda por esse meio; não importa, desde que seja uma escolha livre. É ao romper com o discurso que coloca o relacionamento afetivo com um homem como única possibilidade para a mulher que se garante a ela plena liberdade.

O estigma que cai sobre a prostituição está diretamente relacionado à repressão sexual e aos valores morais. O que eu pretendo mostrar é que a prostituição é apenas um trabalho, com a única diferença de que envolve sexo. Quando alguém se posiciona contra a atividade, está apenas reproduzindo os valores morais vigentes em nossa sociedade, mesmo que de forma inconsciente.

---

1. LINS, Regina Navarro. *A cama na varanda*. Rio de Janeiro: Bestseller, 2012.

Sexo pago e objetificação da mulher

ENTRE OS ARGUMENTOS USADOS por grupos feministas para sustentar o discurso antiprostituição está o de que a prostituição promove a objetificação das mulheres, de que elas estão sendo usadas para o prazer masculino. Esse discurso me incomoda bastante, porque ele ignora a perspectiva das mulheres que exercem a atividade: a objetificação aqui tem como perspectiva o olhar masculino, e não como elas se sentem.

O termo "objetificar" se refere ao ato de tomar algo como objeto, ou seja, à desumanização. Pode até ser verdade que os homens que pagam por sexo não conseguem ter um olhar humanizado para as mulheres que oferecem esse serviço, mas por que isso deveria importar para nós? Será que o reconhecimento masculino tem de ser sempre o objetivo de toda mulher? A questão não deveria ser como nós, as trabalhadoras sexuais, nos sentimos?

Eu me sinto bem fazendo o que faço. Eu poderia me sentir objetificada se criasse expectativas para além do sexo pago, mas, quando vou trabalhar, espero apenas oferecer meu serviço e ganhar meu pagamento, nada mais. Encaro isso como uma relação profissional, o que de fato é. Eu me sinto bem porque estou usando minha sexualidade como me convém. Não me sinto usada, pois também estou recebendo aquilo que desejo; é uma relação de troca.

Os homens nos veem como objeto porque nós trabalhadoras sexuais estamos naquela categoria de mulher indigna, que não serve para casar ou namorar, não é merecedora de afeto ou empatia: a puta. O feminismo deve ser inclusivo e lutar pela humanização de todas as mulheres. A ideia de que a prostituição promove a objetificação da mulher está, na verdade, legitimando a divisão machista das mulheres em duas categorias, porque esse pensamento leva a entender que a mulher só pode ser humanizada na medida em que se enquadra na categoria de mulher que os homens querem, e isso restringe a nossa liberdade.

A prostituição como trabalho

EMBORA HAJA GRANDE RESISTÊNCIA por parte da sociedade em aceitar a prostituição como um trabalho, a atividade se enquadra perfeitamente no conceito sociológico de trabalho: uma atividade produtiva que garante ao indivíduo os meios de sua subsistência.

A prostituição não é um trabalho como outro qualquer, e essa afirmação vale para as demais profissões também. Nenhuma profissão é como outra, cada uma tem suas particularidades, seus riscos, seus desafios etc. O que une todas elas são as relações de trabalho, a relação entre patrão e empregado, a relação de exploração.

Um dos argumentos usados por grupos abolicionistas da prostituição é o de que as mulheres são exploradas por seus "cafetões". Eu não vou discordar desse argumento, mas precisamos ir além para tratar da questão com mais profundidade e menos parcialidade.

O feminismo marxista se coloca contra a existência dos trabalhos sexual e doméstico, por considerar que ambos submetem as mulheres à exploração. Segundo a visão marxista, os trabalhos sexual e doméstico resultam das relações de exploração existentes no capitalismo e deixariam de existir após a implementação de um regime comunista[2].

Karl Marx trouxe grandes contribuições para o pensamento econômico, a sociologia e a filosofia, porém nem todas as suas teorias se confirmaram na realidade. A previsão acerca do trabalho sexual foi uma delas: tanto em Cuba[3] quanto na antiga URSS[4], há registros da atividade.

---

2. ENGELS, Friedrich; MARX, Karl. *Manifesto do Partido Comunista*. Tradução Marcos Nogueira e Leandro Konder. Petrópolis: Vozes, 2010.
3. KEMPADOO, Kamala (Org.). *Sun, Sex, and Gold*: Tourism and Sex Work in the Caribbean. Oxford: Rowman & Littlefield Publishers, 1999.
4. GOLDMAN, Wendy. *Mulher, Estado e Revolução*. Tradução Natália Angyalossy Alfonso. São Paulo: Boitempo, 2014.

Acredito que se deva levar em consideração o contexto em que Marx viveu: a Inglaterra do século XIX, era vitoriana, período de intensa repressão sexual. Certamente isso influenciou sua visão sobre o trabalho sexual. Nenhum pensador, por mais brilhante que seja, está totalmente isento dos valores culturais de sua época.

Para debater sobre a exploração das trabalhadoras sexuais, vou usar um conceito do próprio autor, a mais-valia, que identifica a parte do rendimento que é expropriada do trabalhador pelo seu patrão. De acordo com a teoria marxista, o trabalhador não recebe em seu salário o valor devido por tudo que produz, pois parte de sua produção é expropriada pelo patrão, a quem ele tem de se submeter por não possuir os meios de produção[5].

Segundo Marx, portanto, na sociedade capitalista o trabalhador é forçado a trabalhar mais do que o necessário por aquilo que recebe, exercendo uma quantidade de trabalho referente ao seu salário e mais um excedente, que, quando convertido em valor, recebe o nome de mais-valia. O conceito de mais-valia explica a origem do lucro dos patrões: trabalho expropriado.

Para explicar melhor essa relação de exploração, vou falar sobre a minha experiência nas casas de prostituição, mas antes acho necessário falar sobre as minhas experiências de trabalho antes da prostituição. Uma das primeiras foi aos 20 anos, quando eu tive a oportunidade de trabalhar como panfletista. Quem me ofereceu o serviço foi um senhor, dono de uma loja de essências. Esse senhor queria divulgar a loja dele e precisava de alguém que distribuísse os panfletos em outras lojas. Eu deveria distribuir os panfletos nas lojas e pegar o cartão delas, para no final provar a ele que estivera ali. Cada dia eu divulgava numa região diferente da cidade, às vezes no Centro, às vezes na Zona Sul. Ele me dava um bolo de panfletos,

---

5. MARX, Karl. *O capital*: crítica da economia política – Livro I: O processo de produção do capital. Tradução Rubens Enderle. São Paulo: Boitempo, 2013.

eu passava horas andado pela cidade para distribuí-los de loja em loja e, no final, voltava para ele com os cartões de cada uma delas. Ele me pagava o valor de trinta reais para fazer tudo isso e mais a passagem de ônibus (eu morava na Zona Oeste). Tudo isso era bem cansativo, era preciso atravessar a cidade de ônibus e depois passar horas em pé para ganhar apenas trinta reais.

Depois dessa experiência, tive a oportunidade de trabalhar em um salão de beleza. Eu tinha um horário a cumprir, e o pagamento do meu cliente era divido entre mim e a dona do salão, variando entre 50%-50% e 40%-60%, dependendo do serviço. Quando era preciso usar um produto do salão, como em serviços de coloração ou escova progressiva, a dona do estabelecimento ficava com 60% do pagamento, e eu, com apenas 40%. Quando o serviço não exigia utilização de um produto, por exemplo, os cortes de cabelo, cada uma ficava com 50%. Era um salão simples, os serviços costumavam sair por menos de cem reais e, tirando a parte da dona, não sobrava muito para mim. Não havia salário fixo, eu ganhava pelo número de clientes que atendia.

Insatisfeita com meus trabalhos anteriores e sem muitas perspectivas, decidi tentar algo novo: ser profissional do sexo. Minha primeira experiência na prostituição foi numa "casa de massagem" que ficava na Barra da Tijuca, bairro do Rio de Janeiro. O primeiro contato foi por meio de um anúncio de internet que não dizia especificamente do que se tratava, obviamente, mas dava para entender. Os anúncios diziam coisas do tipo "procura-se meninas acima de 18 anos", "altos ganhos" ou "precisa-se de massagista". Há vários anúncios desse tipo nos classificados; certa vez, liguei para um deles, inocentemente, e me informaram ao telefone que era para ser garota de programa. Desliguei. Dessa vez, porém, eu já sabia do que se tratava esse tipo de anúncio e entrei em contato na intenção de me tornar profissional do sexo.

Ao chegar ao local, fui recebida por uma moça, jovem, que se identificou como a gerente da casa. Ela me apresentou o ambiente, composto por quatro quartos de atendimento e um quarto de espera, onde ficavam as meninas enquanto não estavam com os clientes. Ambiente bem bonito e organizado, de alto padrão. A "clínica de massagem", como ela chamava, ficava em um prédio comercial e funcionava em horário comercial, ao lado de consultórios médicos, escritórios de advocacia etc. Até aquele momento, eu jamais imaginara que a prostituição acontecia à luz do dia, tão perto de nós.

A gerente me explicou sobre o trabalho: a casa funcionava das 10 às 19 horas, era preciso cumprir esse horário, e o programa custava 250 reais, dos quais 100 eram da casa e 150 da menina. Achei bom, pois ficava com mais de 50% do valor para mim.

Comparada aos outros trabalhos que tive, estava sendo uma experiência maravilhosa. A renda era boa e as condições de trabalho eram ótimas; enquanto não aparecia cliente, eu ficava em um ambiente confortável, climatizado, com TV. A média de atendimento era de dois clientes por dia, ou seja, duas horinhas em que eu ganhava 300 reais. Fora isso, ficava a maior parte do tempo conversando com as meninas, vendo TV ou navegando na internet.

Percebam que as minhas experiências de trabalho anteriores à prostituição também foram marcadas pela exploração, sendo facilmente identificável a expropriação da minha força de trabalho, a mais-valia. No salão, essa expropriação chegava a 60%, bem superior à da casa de prostituição, de 40%. Na panfletagem, seria impossível calcular a mais-valia, mas provavelmente se tratava de uma porcentagem bem alta, visto que eu recebia apenas trinta reais pelo serviço.

No capitalismo, todos os trabalhadores têm parte de sua força de trabalho expropriada, caracterizando uma relação de exploração. Se na prostituição as mulheres são exploradas por seus agenciadores, nas demais profissões também são exploradas por quem as contrata.

Muito se fala sobre a exploração que nós profissionais do sexo sofremos, mas a verdade é que a prostituição oferece maior renda e melhores condições de trabalho que as demais profissões que poderíamos exercer. O que eu, uma garota jovem, apenas com ensino médio, sem experiência com carteira assinada, poderia conseguir no mercado de trabalho? E, pelo que percebi convivendo com minhas colegas de trabalho, todas estavam ali por aquele ser o que oferecia melhor renda dentro das opções que elas tinham. Elas, assim como eu, haviam sido mais exploradas em suas experiências anteriores.

A prostituição é uma escolha?

EVIDENTE QUE NÃO, ASSIM como a maioria das profissões que existem. Esse argumento vem sendo muito usado contra a atividade, mas a verdade é que ele serve para as demais profissões. Será que uma empregada doméstica escolheu ser empregada doméstica? Babás, garçonetes, caixas de supermercado, quantas dessas mulheres escolheram sua profissão?

Nós vivemos numa sociedade capitalista altamente hierarquizada que não oferece oportunidades iguais para todos. Quem tem poder de escolha são as classes altas; quem pode escolher ser médico, advogado ou engenheiro são aqueles que têm recursos para investir numa boa formação. As profissões pouco remuneradas e com piores condições de trabalho são destinadas, exclusivamente, às classes menos favorecidas, às quais foi negado o acesso à educação de qualidade.

O que eu pude observar em toda a minha experiência é que o perfil da maioria das mulheres que se prostituem é o de uma mulher jovem, com pouca escolaridade, oriunda das classes baixas. Ao conviver com essas mulheres, pude ouvir seus relatos sobre experiências anteriores, e todas ali exerceram trabalhos precários antes de entrar na prostituição. Algumas foram babás, outras garçonetes, diaristas, enfim, alguma profissão pouco remunerada. Isso significa que, dentre as possibilidades que elas tinham, diante de sua realidade social, o trabalho sexual foi sua melhor opção, a mais bem remunerada que poderiam exercer, onde seriam menos exploradas.

Tratando-se de uma parcela da população que já é excluída e tem pouca perspectiva em relação às possibilidades de trabalho, o discurso antiprostituição contribui ainda mais para a exclusão dessas mulheres, ao tirar delas uma das poucas possibilidades que possuem.

O discurso feminista deve ser a favor da inclusão, de todas as mulheres. Devemos lutar por uma sociedade mais justa e com oportunidades iguais, em que as mulheres tenham poder de escolha, sejam elas trabalhadoras sexuais, babás ou faxineiras; mas, enquanto não tivermos alcançado esse ideal de sociedade, é fundamental garantir direitos e melhores condições de trabalho para cada categoria profissional.

A regulamentação

SENDO AS RELAÇÕES DE trabalho no capitalismo marcadas pela exploração, o agenciador de garotas de programa é apenas um empreendedor como outro qualquer. Assim como o dono de uma padaria, de um salão de beleza ou de uma loja, o agenciador explora a força de trabalho de seus funcionários. A diferença é que, nos demais empreendimentos, as ocupações são regulamentadas por lei. Isso significa que há regras que determinam as relações de trabalho e direitos garantidos pelo Estado. A regulamentação favorece o trabalhador, que é o lado mais frágil dessa relação, aquele que não tem propriedade e depende da sua força de trabalho como meio de subsistência.

No Brasil, aguarda votação na Câmara o projeto de lei Gabriela Leite, apresentado pelo ex-deputado Jean Wyllys, que prevê a regulamentação da prostituição[6]. Entre os artigos do PL está aquele que veda a prática de exploração sexual: apropriação, por terceiro, de quantia superior a 50% do rendimento pelo serviço sexual prestado; não pagamento pelo serviço sexual prestado; forçar alguém a se prostituir mediante ameaça ou violência. A lei ainda estabelece que o pagamento pelo serviço sexual prestado é juridicamente exigível e oferece aposentadoria especial com 25 anos de contribuição para a categoria.

A exploração, segundo a teoria marxista, apenas terá fim com uma mudança estrutural na sociedade que resulte na abolição da propriedade privada. Na sociedade capitalista atual, a exploração do trabalhador é permitida dentro de certos limites estabelecidos por lei; quando esses limites são desrespeitados, o trabalhador pode recorrer à justiça, e o patrão estará sujeito à penalidade. A regulamentação é o único meio de garantir melhores condições de trabalho e impedir que abusos sejam cometidos.

O que nós trabalhadoras sexuais queremos é que nossa atividade seja reconhecida como um trabalho e, assim, regulamentada. Queremos ter os mesmos direitos que outras categorias profissionais. Por se tratar de uma profissão ocupada majoritariamente por mulheres, a regulamentação da atividade sexual deve ser pauta defendida pelos movimentos feministas.

Prostituição e violência contra a mulher

UM DOS MITOS QUE existem em torno da prostituição é o de que as mulheres que se prostituem estariam mais expostas à violência. Essa crença se baseia na ideia de que o homem se sente no direito de fazer o que quiser com as mulheres pelo fato de estar pagando pela companhia delas. Essa ideia de que nós

---

6. Disponível em: https://www.camara.leg.br/proposicoesWeb/prop_mostrarintegra?codteor=1012829. Acesso em: 17 mar. 2021.

profissionais do sexo "vendemos o corpo" faz com que muitas feministas se refiram à nossa atividade como "estupro pago".

Esse pensamento mostra a dificuldade que as pessoas têm em entender nossa atividade como um trabalho. É evidente que nós não vendemos nosso corpo e que o cliente não tem o direito de fazer o que quiser durante o tempo pelo qual pagou. Nós prestamos um serviço, apenas, e as práticas a serem realizadas são preestabelecidas. O programa inclui penetração vaginal e sexo oral, com uso de preservativo. Se o cliente quiser algo extra, como sexo anal, por exemplo, a negociação é feita antes, e ele paga uma quantia a mais à menina.

Nesses cinco anos em que atuei como profissional do sexo, nunca fui forçada a fazer nada que eu não quisesse ou que já não estivesse predisposta a fazer. As relações profissionais fluíam como as relações não profissionais de sexo casual, com a diferença de que eu não escolhia meus parceiros. Tudo era feito de forma consentida, e eu era livre para parar a hora que quisesse e desistir de receber meu pagamento.

Felizmente, nunca fui vítima de violência exercendo meu trabalho, mas é claro que não descarto a possibilidade de isso acontecer comigo ou com qualquer outra trabalhadora sexual. A questão que eu quero levantar é que não há nenhuma evidência segundo a qual uma mulher estaria em maior risco ao se relacionar com um homem como profissional do sexo. O problema está nos homens, no machismo, e não na nossa profissão.

Não existe um perfil de homem que paga por sexo, pagar prostitutas faz parte da cultura masculina. Nesses anos em que trabalhei como profissional do sexo, atendi clientes de todos os tipos: homens jovens, idosos, negros, brancos, ricos, pobres, empresários, trabalhadores, estudantes, casados, solteiros, enfim, de diversas realidades. Esses homens são os mesmos que se relacionam de outras formas com mulheres, são pais, maridos, namorados, irmãos, chefes, colegas de trabalho, de faculdade etc. O machismo está presente em todas as relações entre homens e mulheres. Estas sofrem violência e assédio no ambiente de trabalho, em espaços públicos, no transporte coletivo e principalmente no ambiente doméstico.

Os dados sobre violência contra a mulher, no Brasil, revelam que a maioria das mulheres que sofrem agressão são vítimas dos próprios companheiros ou ex-companheiros[7] e que o ambiente doméstico é onde ocorre a maior parte dos casos[8]. Isso significa que o casamento ou o relacionamento afetivo é a condição em que a mulher corre maior risco de violência.

Quando a mulher se relaciona com o homem como esposa ou namorada, ele exerce o controle de sua sexualidade. Culturalmente, existe a ideia de que o homem de verdade tem domínio sobre sua mulher e não pode jamais ser traído. Aquele que não mantém o controle da sexualidade de sua mulher é desqualificado como homem, sendo "corno" um xingamento que expressa essa ideia.

Esposas e putas se relacionam com homens, mas de formas bem diferentes. Enquanto aquelas estão numa relação matrimonial, estas estão numa relação profissional. É no relacionamento afetivo que existe o controle, o ciúme, o sentimento de posse, a preocupação com a sexualidade. Os meus clientes não querem saber com quem eu vou transar após terem um encontro comigo, eles me pagam e vão embora, não existe ciúme nem controle da minha vida.

Conclusão

FALAR SOBRE PROSTITUIÇÃO É, certamente, um grande desafio, devido ao estigma e à falta de visibilidade da categoria.

---

7. SENADO FEDERAL, PROCURADORIA ESPECIAL DA MULHER. Violência doméstica e familiar contra a mulher – 2019. 27 dez. 2019. Disponível em: https://www12.senado.leg.br/institucional/procuradoria/comum/violencia-domestica-e-familiar-contra-a-mulher-2019>. Acesso em: 17 mar. 2021.
8. GOVERNO FEDERAL, MINISTÉRIO DA MULHER, DA FAMÍLIA E DOS DIREITOS HUMANOS. MDH divulga dados sobre feminicídio. 13 ago. 2018. Disponível em: https://www.gov.br/mdh/pt-br/assuntos/noticias/2018/agosto/ligue-180-recebe-e-encaminha-denuncias-de-violencia-contra-as-mulheres. Acesso em: 17 mar. 2021.

A maioria das mulheres que exercem a profissão não a assumem publicamente para não sofrerem represália, e as poucas que ousam falar sobre são, muitas vezes, desacreditadas.

Tentam nos silenciar com a justificativa de que nós não representamos a realidade da categoria, enquadram-nos em estereótipos do tipo "acompanhante de luxo" ou "prostituta universitária" para invalidar nossas falas. Mas, se nós não podemos falar em nome da categoria, quem pode?

Provavelmente a maioria das feministas que sustentam o discurso contra a prostituição nunca tiveram contato real com a atividade ou com quem a exerce. Por ser um tabu em nossa sociedade, a prostituição ocorre às escondidas, e quase tudo que se sabe sobre a atividade está ligado ao imaginário popular.

Muitos dos problemas e das dificuldades que apontam para nossa atividade são reais, tenho de admitir, mas a verdade é que esses problemas também existem em diversos outros contextos. Para argumentar em defesa da prostituição, muitas vezes eu não preciso falar da prostituição especificamente, mas sim de outros espaços que nós mulheres podemos ocupar nesta sociedade. O que dizer dos outros trabalhos precários? O que dizer sobre o casamento? Existe algum lugar nesta sociedade no qual a mulher esteja livre da opressão masculina?

Lutar por um mundo melhor para as mulheres é o que todas nós feministas queremos. As feministas que sustentam o discurso antiprostituição fazem isso por idealizarem um lugar melhor para as trabalhadoras sexuais, mas no contexto real da nossa sociedade esse lugar não existe.

Não há nada de construtivo em inviabilizar o nosso trabalho sem ao mesmo tempo nos oferecer uma alternativa melhor. Será que as abolicionistas da prostituição acreditam que, ao ser tirado de nós o direito de exercer o trabalho sexual, magicamente todas teremos um bom emprego, com ótimas condições profissionais, uma bela carreira e um alto salário?

O feminismo deve lutar contra a desigualdade e o machismo, e não contra uma atividade que garante o sustento de tantas mulheres. Eu acredito em um feminismo inclusivo, que dê voz às trabalhadoras sexuais, respeitando nossas falas e vivências. Se eu não represento a classe, acredito ao menos ter chegado bem mais perto disso do que aquelas que tentam nos silenciar.

Heloisa Melino

Lésbicas, prostitutas, travestis e transexuais: uma aliança necessária

QUERIDAS PESSOAS LEITORAS, a escrita deste capítulo foi feita com bastante carinho e empenho. É um ensaio, portanto, é a busca de um diálogo. Convido desde já quem o lê a trocar esta ideia comigo, pode ser apenas em pensamentos ou pode ser me escrevendo, por e-mail ou em alguma rede social.

Fui convidada à escrita por um grande parceiro. A ideia inicial era fazer uma aula para abrir as primeiras conversas, mas a pandemia de Covid-19 acabou por atropelar as agendas, e a aula virou uma conversa-escrita. Para princípio de conversa, já que a audiência é múltipla, considero de extrema importância, antes de falarmos sobre sexualidade, que falemos sobre corpos políticos. E, antes da nossa conversa-escrita, vou trazer um quadro conceitual teórico com o qual venho trabalhando e que considero fundamental para compreendermos a necessidade de uma luta anticolonizatória ou descolonial, que vai envolver o combate à LGBTIfobia, à misoginia, ao racismo, ao capital – nenhuma dessas sendo mais primária, precedente ou de maior importância que as outras. Quando falamos em *corpos políticos*, eu penso em mecanismos de divisão e controle sobre os corpos, para que se construam hierarquizações. *Divisão* no sentido de quais características vão ser ressaltadas para categorizar, ou separar, as pessoas em grupos diferentes. *Controle* para vigiar se as pessoas que foram divididas se comportam como "devem" – ou seja, da forma esperada –, o modo como interagem entre si e entre os que são categorizados como diferentes. Um controle que, obviamente, vai vir acompanhado de sanções para quem não atender às regras impostas ou delas fugir. Essa divisão e esse controle, juntos, vão construir as hierarquizações entre as pessoas. Vejam bem, o problema não é que haja divisões: as pessoas são diferentes entre si e podem formar grupos por semelhanças ou por diferenças. O problema é que, na sociedade moderna, historicamente, essas divisões foram e têm sido criadas para impor controles e justificar hierarquias, naturalizando – ou seja, biologizando – essas diferenças e essas hierarquias.

Falei em sociedade moderna porque quero trazer a modernidade como marco temporal. As categorias de divisão entre as pessoas humanas são categorias de classificação social, ou seja, não existem diferenças naturais entre os seres humanos que nos separem e nos hierarquizem. Em temos biológicos/naturais, todas, todos e todes somos da mesma espécie, a humana. E a nossa anatomia vai ser tão diferente quanto mais pessoas sejamos, isto é, temos quase 8 bilhões de anatomias diferentes, de modo que não seria preciso invocar a diferença anatômica de uma parte específica do corpo humano, a genitália, para dizer que todas as pessoas que nascem com uma forma de genitália são diferentes de todas as pessoas que nascem com outra(s) forma(s) de genitália. Mas, na sociedade, temos divisões em categorias que são situacionais e invocam marcos espaciais, temporais e sociais, marcos esses que terão enquadramentos diferentes dependendo do marco conceitual a partir do qual sejam vistos.

Assim, esta nossa conversa sobre lesbianidades e corpos políticos vai começar com um diálogo sobre modernidade a partir do quadro conceitual da modernidade/colonialidade, e seu marco espacial é o sistema-mundo formado nesse período, com a emersão do atual padrão mundial de poder, que chamamos de capitalismo.

América no sistema mundial

IMMANUEL WALLERSTEIN[1] ARGUMENTA QUE, para o capitalismo como economia-mundo acontecer, era preciso que houvesse uma expansão geográfica do mundo em questão, o desenvolvimento de métodos de controle do trabalho para cada tipo de produção e território e a criação de aparelhos de Estado relativamente fortes. A conquista e a expansão europeia para a América forneceram dois desses elementos: o terreno para expansão geográfica e um campo para experimentação de métodos de controle do trabalho. Na América, as populações indígenas foram quase dizimadas, e o processo de colonização gerou a construção de instituições políticas e econômicas como se não houvesse nada por aqui antes da chegada europeia. A América foi definida como o "novo mundo", mas se converteu em um modelo de sistema-mundial.

O colonialismo foi um processo que implicou a concentração e o controle de todos os recursos do mundo em benefício de uma pequena minoria da espécie humana, as classes dominantes brancas europeias. Essas relações de dominação, no entanto, não se adstringiram às relações de trabalho entre europeus e não europeus, nem à centralização de recursos e benefícios para os dominantes. O novo modelo mundial que se formou

---

1. WALLERSTEIN, Immanuel. *El moderno sistema mundial*. Madri: Siglo XXI, 1976.

a partir da América trouxe como novidades a colonialidade, a "raça"/"etnia" e o racismo/etnicismo[2].

No território que hoje chamamos de Brasil, estima-se que havia cerca de 2,5 milhões a 4 milhões de indígenas, mas foram reduzidos a 200 mil[3]. A chegada europeia aqui foi mais do que uma catástrofe demográfica, foi o aniquilamento de sociedades e de culturas. Os ibéricos viviam em discussões sobre se os índios eram realmente humanos, se tinham alma, ao mesmo tempo que destruíam sociedades de alto nível de desenvolvimento[4]. Os que não foram mortos foram escravizados, eram mão de obra descartável, e a sociedade colonial foi construída sobre as bases de sua exploração e dominação.

Maria Lugones[5] lembra que, além da dominação racial, a colonização trouxe a categorização de indivíduos por sexo-gênero[6], a partir do dimorfismo sexual, e a dominação entre esses sexos-gêneros, impondo um padrão comportamental e sexual heterossexualista. Isso, como diz a autora, chama a uma releitura da modernidade capitalista colonial, pois a imposição colonial do gênero atravessa questões sobre ecologia, economia e governo, relaciona-se ao mundo espiritual e ao conhecimento, cruza práticas cotidianas que tanto nos habituam a cuidar do mundo como a destruí-lo. Proponho este quadro conceitual não como uma abstração da experiência vivida, mas como uma lente que nos permita ver o que está escondido de nossas

---

2. QUIJANO, Aníbal; WALLERSTEIN, Immanuel. Americanity as a Concept, or the Americas in the Modern World-System. *International Social Sciences Journal*, n. 134, p. 549-57, 1992.; QUIJANO, Aníbal. América Latina em la economía mundial. In. *Problemas del desarrollo*, v. XXIV, n. 95, p. 43-59, 1993.
3. VIEIRA, Antonio Fernades de Jesus (Dinamam Tuxá). Genocídio dos povos indígenas no Brasil: um instrumento de mais de 500 anos. In: FEFFERMANN, Marisa; KALCKMANN, Suzana et al. (Org.). *Interfaces do genocídio no Brasil*: raça, gênero e classe. São Paulo: Instituto de Saúde, 2018. p. 159 -70.
4. QUIJANO, Aníbal; WALLERSTEIN, Immanuel. Americanity as a Concept, or the Americas in the Modern World-System, op. cit.
5. LUGONES, Maria. Heterosexualism and the colonial/modern gender system. *Hypatia*, v. 22, n. 1, p. 186-209, 2007; LUGONES, Maria. Rumo a um feminismo descolonial. *Revista Estudos Feministas*, v. 22, n. 3, p. 935-52, 2014.
6. A autora se refere ao sistema moderno/colonial de gênero, porém utilizo o termo sexo-gênero compreendendo que a designação de sexo como atributo biológico a partir da anatomia genital também é um construto colonizatório e social.

compreensões sobre raça e gênero e sobre as relações de cada qual com a heterossexualidade normativa[7].

Silvia Federici[8] demonstra como, numa Europa ainda feudal, as classes dominantes conseguiram promover a degradação da posição social da mulher. Uma construção realizada em mais de 200 anos de ataques às posições que as mulheres ocupavam nas sociedades pagãs (campesinas) europeias, que envolveu o pagamento da remuneração pelo trabalho dessas mulheres aos seus pais ou maridos, mesmo quando o trabalho era personalíssimo, como no caso das amas de leite; a descriminalização e o incentivo de estupros de mulheres pobres; a criminalização de técnicas de prevenção da gravidez e de interrupção da gestação ou abortamento; a mecanização da natureza e do corpo humano; o combate a todos os tipos de magia e misticismo e às cosmovisões que viam o ser humano como parte da natureza, não como seu manipulador, combate esse que foi acentuado por uma "caça às bruxas". Ou seja, os processos que levaram à degradação da posição social da mulher diziam menos respeito a ela do que à economia, à ecologia e ao mundo espiritual, às religiosidades. A mesma perseguição às cosmovisões de integralidade com a natureza e a mesma violência com que foram tratados os povos pagãos, chamados de "heréticos", foi trazida às Américas na Conquista e resultou em um processo de dominação e exploração dos povos e das terras que envolveu despojo cultural, epistemicídio, escravização e genocídio, em função do enriquecimento da pequena, mas poderosa, classe dominante europeia.

---

7. Id.
8. FEDERICI, Silvia. *Calibã e a bruxa*: mulheres, corpo e acumulação primitiva. Tradução Coletivo Sycorax. São Paulo: Elefante, 2017.

Modernidade/colonialidade: colonialidade do poder e sistema moderno/colonial de gênero

QUANDO QUIJANO[9] INVOCA O conceito de "colonialidade", é porque as estruturas formadas com a criação da América se mantiveram após a derrota do colonialismo. Um sistema administrativo e jurídico que, como argumenta o autor[10], não precisava envolver as práticas que a colonialidade criou, mas foi assim que se deu, especialmente pela hierarquização social entre os povos que foram classificados e hierarquizados por categorias raciais, étnicas, antropológicas e nacionais. Apesar de essas categorias terem ganho caráter de fenômenos naturais e a-históricos, não passam de produto de uma história de poder e fruto da modernidade, que serviam para hierarquizar as pessoas provenientes dos diferentes territórios. Foram criadas a "raça" e as "etnias" e seus corolários, o racismo e o etnicismo, como inerentes e fundantes das relações de poder entre europeus e não europeus. Essas categorias atuavam e atuam nas relações materiais, mas, mais que isso, também nas relações intersubjetivas do poder.

Quijano chama de modernidade/colonialidade a modernidade definida pela descolonização sem a descolonialidade, ou seja, o fim da presença das instituições coloniais, mas a permanência de relações de colonialidade, já mundialmente internalizadas. Nessa linha, não apenas a perspectiva de conhecimento europeia é dominante como, sem sua interiorização, teria sido impossível estabelecer as instituições do capitalismo e a referência europeia na construção das identidades latino-americanas.

---

9. QUIJANO, Aníbal. Coloniality of Power and its Institutions. Trabalho apresentado no Simpósio sobre a colonialidade do poder e seus âmbitos sociais. Binghamton University, 1999; QUIJANO, Aníbal. Colonialidade do poder, eurocentrismo e América Latina. In: LANDER, Edgardo (Org.). *A colonialidade do saber*: eurocentrismo e ciências sociais – perspectivas latino-americanas. Buenos Aires: Clacso, 2005.
10. Id. Colonialidad del poder y clasificación social. *Journal of World-Systems Research*, Santa Cruz, v. VI, n. 2, ed. especial: Festschrift for Immanuel Wallerstein – parte I, p. 342-86, 2000.

Assim, ele critica o que chama de "ponto cego do marxismo"[11] e sugere uma classificação social que considere a raça tão fundamental quanto o trabalho na hierarquização humana, pois entende que a raça não é apenas um corolário das relações sociais de produção, mas um determinante para o estabelecimento dessas relações no mundo. Ao adicionar a contradição europeu/não europeu à contradição capital/salário, argumenta que as relações intersubjetivas têm caráter material – modificam a experiência humana concretamente vivida.

Lugones, por sua vez, vai criticar o "ponto cego" de Quijano. O sociólogo compreende o sexo como uma das disputas no sistema mundial de poder, entende que a família burguesa é a forma hegemônica em que serão construídas as relações afetivas e familiares, mas trata o sexo (ou gênero) como um atributo natural, biológico. Lugones, ao contrário, vai demonstrar que a divisão entre mulheres e homens a partir do dimorfismo genital/sexual não é universal em todos os povos e culturas, ao contrário, é arbitrária e foi imposta aos povos colonizados, assim como a sexualidade foi capturada como tendo na reprodução a sua principal função. Dessa maneira, Lugones[12] demonstra que a classificação social construída na colonialidade/modernidade, além de ser fundada na contradição capital/salário e europeu/não europeu, tem a contradição macho/fêmea por uma perspectiva cis-heterossexualista. Lugones chama isso de sistema moderno/colonial de gênero, mas nitidamente se refere não só à arbitrariedade do gênero como à do sexo, conforme reconhecido pela biologia e pela medicina e afirmado pelo direito. Demonstra a autora, portanto, que o sexo assinalado ao nascimento é também uma imposição eurocêntrica (social) sobre uma suposta natureza biológica humana.

Nessa classificação social proposta por Quijano e ampliada por Lugones, raça, sexo e classe são inseparáveis para a

---

11. Ibid.
12. LUGONES, Maria. Heterosexualism and the colonial/modern gender system, op. cit.

hierarquização humana. Nenhuma categoria pode ser entendida sem as outras, assim como nenhuma precede as demais. Por isso, para quem se interessa pela elaboração teórica e pelas práticas que caminhem rumo à descolonialidade, é preciso o tempo inteiro questionar o capitalismo nessas três bases. Não com "recortes" ou "vieses", mas a partir de práticas e teorias efetivamente antirracistas, antissexistas e anticlassistas. É isso que significa, para princípio de conversa, buscar perspectivas, racionalidades e formas de atuação alternativas ao eurocentrismo. Esses aportes que eu trago aqui, muito tangencialmente, são das teorias descoloniais latino-americanas, mas o mesmo é dito por pesquisadoras estadunidenses terceiro-mundistas[13] e africanas[14].

Lésbicas, prostitutas, travestis e transexuais: uma aliança necessária

COMECEI ESTE ENSAIO TRAZENDO alguns aportes teóricos para chegar a uma questão cujas controvérsias aparecem sempre no mês de agosto, que é o mês da visibilidade lésbica, mês também em que escrevo este texto. A "treta" envolve as lesbianidades cis e trans, mas vou ampliá-la para outra "treta", que concerne às mesmas sujeitas que criam caos em torno da presença de mulheres trans nos feminismos. Então, vamos conversar, daqui pra frente, sobre a dificuldade que algumas mulheres autodenominadas "feministas radicais" têm em entender que as reivindicações de mulheres trans, homens trans e pessoas não binárias também fazem parte da agenda feminista, assim como as reivindicações a respeito do trabalho sexual devem ser protagonizadas por trabalhadoras sexuais – ou seja, que são elas, os movimentos organizados por elas, que ditam o rumo dessas reivindicações.

---

13. ALLEN, Paula Gunn. *The Sacred Hoop: Recovering the Feminine in American Indian Traditions*. Boston: Beacon, 1986.
14. OYĚWÙMÍ, Oyèrónké. *La invención de las mujeres*: una perspectiva africana sobre los discursos occidentales del género. Tradução Alejandro Montelegno González. Bogotá: La Frontera, 2017.

Para falar, então, de feminismos dissidentes e lesbianidades, quero conversar com vocês sobre a aliança histórica que existe entre lésbicas, prostitutas e pessoas trans. Temos muito em comum, pois, quando se trata da construção colonizatória de "mulher", a mulher vai ser cisgênera, ou seja, assinalada ao nascimento como sendo do sexo feminino por não ter pênis, uma concepção de feminilidade construída a partir do dimorfismo sexual/genital; terá a sexualidade necessária para cumprir seu dever de reprodução, então será heterossexual; e não vai se interessar por sexo, a não ser para a satisfação do desejo masculino (heterossexual) de forma gratuita.

Ao contrário dos homens, que, com quanto mais mulheres transam, mais bem falados são, as mulheres têm a reputação manchada se não são pudicas. Ser pudica é demonstrar pouco interesse pelo sexo; masturbação feminina é tabu por si só, ninguém fala sobre isso. Quando você é adolescente e se interessa por alguém, é óbvio que é por uma pessoa de sexo diferente do seu e que você tem que se fazer de difícil. Se mais de um dos rapazes da escola estiverem a fim de você, azar o deles – e o seu, que tem de escolher só um. Se ficar com mais de um, automaticamente vira a "piranha" da escola; se ficar com vários, aí já é "puta" mesmo.

O que é "a puta", então? É só a mulher que recebe contraprestação patrimonial ou econômica pelo serviço sexual prestado? De forma alguma. A puta é qualquer mulher que pareça ser ou que seja "fácil". Ser fácil é não se fazer de difícil. Mesmo que você só fique com um cara, se você não o rejeitar diversas vezes e se não existir uma história entre vocês antes de vocês "ficarem", aí você já é fácil e abre caminho para ser piranha. A sexualidade feminina é alvo de controle o tempo inteiro. Mesmo que seja heterodirecionada, há uma série de condicionais para uma mulher ser considerada "de respeito". Mulher "de família", então, é um atributo que não depende só de você ser difícil, mas também de como é a sua configuração familiar. Uma mulher é "de família" se ela é filha de pai e mãe casados e que moram juntos. No máximo o pai pode ter morrido, mas filha de mãe solo já não é de família, e a mãe dela pode ser um indício de que talvez ela seja fácil e até puta; afinal, é assim que são vistas as mães solos: ou putas, ou fáceis, ou irresponsáveis. A vigilância e a sanção, então, são também geracionais.

Não é muito difícil de entender que o arquétipo da "puta" não está ligado só à remuneração por serviço sexual. E até as feministas mais libertárias caem na armadilha de falar que não são "nem santas, nem putas". Elas entendem aí que o oposto de ser puta é ser santa, querem dizer que não são nenhuma das duas, mas o que é ser puta? A Monique Prada, no livro *Putafeminista*[15], faz essas provocações. Em vez de repetir o que ela fala ou de trazer citações, sugiro que compre o livro dela, que é também uma das formas como ela se sustenta. Para quem não a conhece ainda, Monique Prada é uma prostituta ativista que tem uns quarenta e poucos anos, é natural e residente de Porto Alegre, branca, cisgênera e acho que bissexual. Ela é trabalhadora sexual, ativista, mãe e avó, assim como também é filha, neta, amiga. Monique já foi esposa também. É bom a gente lembrar que as prostitutas não são "só" prostitutas, do mesmo jeito que você que está lendo não é "só" o que você faz para ganhar dinheiro e se sustentar.

A Monique fala muito sobre trabalho e fala sobre coisas que parecem óbvias; mas, na hora em que as prostitutas (e a própria Monique) são atacadas, parece que as pessoas chegam à realidade brasileira (ou mundial) teletransportadas de uma época na qual já aconteceu alguma revolução anticapitalista. Eu escrevi "as pessoas" porque os ataques são amplos e generalizados, mas quero me direcionar às feministas marxistas que se autoproclamam "radicais". Não porque elas façam mais barulho ou gerem mais danos sociais do que os homens cisgênero

---

15. PRADA, Monique. *Putafeminista*. São Paulo: Veneta, 2018.

brancos heterossexuais proprietários – estes são, em verdade, quem dita as regras do jogo da nossa vida –, mas porque essas feministas marxistas radicais são mulheres que deveriam estar ao nosso lado – ao lado de *todas* as mulheres – em prol da libertação e da emancipação de todas as mulheres. E aí não sei se elas acham que quando você presta serviços sexuais você deixa de ser mulher ou se elas acham que prestar um serviço sexual rouba seu cérebro e você já não pode mais falar por si mesma. Não à toa, a Gabriela Leite disse lá no livro dela[16] que, quando falou em um congresso, se assustaram porque uma "puta" estava falando, e ela virou "a puta que fala". Então, se você é trabalhadora sexual, ou você deixa de ser mulher ou seu cérebro é abduzido e você já não pode mais decidir por si mesma o que é melhor – ou até "menos pior" – para você.

Um dos debates mais interessantes que a Monique faz, e que é o que eu digo que deveria ser óbvio para essa gente, é que, numa sociedade capitalista, quase ninguém trabalha no que gostaria de trabalhar. É uma minoria muito pequena que pode decidir em que vai trabalhar, e uma minoria ainda menor aquela que, tendo decidido, consegue se sustentar com o trabalho que faz porque gosta. Ela fala que a maioria das mulheres que prestam qualquer serviço considerado "não qualificado" não necessariamente o prestam porque querem ou porque escolheram, mas porque foi o que "restou" para elas.

Há lógicas aí que são absurdas. É um absurdo achar que se prostituir é ganhar a vida "fácil", do mesmo jeito que é absurdo achar que fazer faxina, cuidar de crianças, de idosos, do lar e cozinhar são serviços "não qualificados". Se você nunca foi faxineira nem diarista, lhe convido, por exemplo, a entrar na casa de uma pessoa que você não conhece, fazer a limpeza de todos os ambientes e ser remunerada por isso. Por melhor que seja a faxina que você faz na sua casa (se é que você mesma/mesmo

16. LEITE, Gabriela. *Filha, mãe, avó e puta*: a história de uma mulher que decidiu ser prostituta. Rio de Janeiro: Objetiva, 2008.

faz isso), eu lhe asseguro que você vai precisar de estratégias e de conhecimento para fazer esse mesmo serviço na casa de outra pessoa. E, inclusive, quando você começou a fazer a faxina na sua própria casa, se você tem esse hábito, tenho certeza de que era diferente de como é "hoje", de que não é mais como "antes", porque até para isso você se "qualificou" – sendo autodidata ou pedindo dicas e ajuda para outra mulher, pessoalmente ou pelas redes sociais, mesmo que tenha sido desde pequena.

O que acontece é que esses serviços, tanto o sexual quanto os demais, são serviços que se espera que as mulheres façam de graça ou por amor. E, quando alguém os faz por qualquer outro motivo, vira interesseira, piranha ou puta, mesmo que não cobre dinheiro na mão. Acho que não é muito difícil de entender que, mesmo que uma mulher possa fazer qualquer "outro" serviço sem ser o trabalho sexual, pelo trabalho sexual ela vai ter como controlar a própria jornada de trabalho e pode ganhar mais do que trabalhando 44 horas por semana em um ambiente muitas vezes inóspito, com pessoas muitas vezes insuportáveis e desumanas, em troca de um salário mínimo.

Podemos comparar, por exemplo, com um mercado que é a principal causa de encarceramento feminino, o tráfico de drogas. Uma mãe pode ser faxineira na casa de uma madame, fazendo diária ou com carteira assinada – a melhor das hipóteses, porque é trabalho formal. Aí ela vai ter que acordar todos os dias cedo, deixar a criança na escola ou creche, se tiver idade para isso, contar com apoio, geralmente de outras mulheres, para buscar a criança ao fim do expediente da escola/creche ou pagar alguém para isso. Ela vai voltar para casa ao final do dia, quando poderá preparar refeições para ela e a criança, arrumar a casa, ajudar nos deveres da escola, se houver. Para ir e voltar, pode precisar de transporte público, condução lotada, numa cidade como o Rio de Janeiro, duas horas nessa condução, para ir e para voltar. Além das oito ou nove horas no trabalho. Ou essa mesma mãe pode trabalhar em um ponto de venda de drogas perto da casa dela, ter uma jornada reduzida, condições de levar e buscar a criança e de passar mais tempo em casa. Não precisa de condução lotada, não aturar desaforo de patrão ou patroa e ganhar mais do que o salário mínimo que ganharia com a carteira de trabalho assinada pelo morador da Zona Sul. Vai correr o risco de ser presa, o dono da boca pode ser desaforado, como o patrão da Zona Sul também pode ser. Escolhas? Qual sacrifício vale mais a pena?

E a prostituta, ela é sempre alguém que tem condição de trabalhar como faxineira, como empregada doméstica com carteira assinada? Qualquer pessoa pode ser faxineira, empregada doméstica ou ser escolhida por esses empregadores? E, quando escolhida, ela vai ter a mesma jornada, vai ter os mesmos ganhos? Vai aturar quais desaforos? Algum ambiente é livre de violências para mulheres? Aliás, quem são as pessoas que mais violentam as prostitutas, são os clientes, são os cafetões ou cafetinas, são os policiais? A principal reivindicação das prostitutas é contra a violência policial. Legalmente, elas querem que as casas de prostituição (prostíbulos) não sejam criminalizadas, porque essas casas existem e sempre vão existir. É mais seguro trabalhar nelas do que nas esquinas, nas ruas escuras, entrando no carro de clientes. Pode ser que haja violência dentro das casas? Pode. E onde as chances de violência são maiores, dentro de uma casa legalizada, regulamentada, com segurança e estrutura, ou em um beco escuro ou automóvel particular de alguém desconhecido?

Muitas das feministas radicais que fazem uma perseguição à prostituição e às travestis ou mulheres trans são lésbicas. E o feminismo lésbico surge para contestar a invisibilidade lésbica feita pelas feministas heterossexuais, para questionar a heterossexualidade compulsória como regime político. A Adrienne Rich vai falar isso em um texto que ficou conhecido como um clássico lesbofeminista[17]. E eu gostaria de trazer para esta discussão,

---

17. RICH, Adrienne. Heterossexualidade compulsória e existência lésbica. *Bagoas*, n. 5, p. 17-44, 2010.

neste momento, outro texto que deveria ser clássico, de uma autora também lésbica e também estadunidense, a Joan Nestlé.

O nome do texto, traduzindo para português, é "Lésbicas e prostitutas: uma irmandade histórica". Um dos pontos que a Joan Nestlé traz nesse texto é a questão de por que essas lesbofeministas incluem na história lésbica, com facilidade, as histórias de freiras e conventos, mas não as das prostitutas e cafetinas e as dos bordéis, quando existem tantas evidências, na história, de prostitutas e cafetinas que eram lésbicas? Esse último ofício "mancha" a história das lésbicas? Não estariam elas, então, com os mesmos preceitos morais das feministas heterossexuais que não falam das histórias lésbicas para não "manchar" o feminismo, para não alimentar a ideia de que feministas "odeiam" homens? E, se a heterossexualidade compulsória é um regime político, a cisgeneridade compulsória também não é? E nós lésbicas, porque eu também sou, só temos que romper com o regime político quando ele nos atinge e nos exclui?

Pois bem. Nesse texto, a Joan Nestlé fala que os *queer*[18] e as putas "são a piada suja de uma sociedade. O simples fato de sugerir que elxs têm uma história, não como um mapa patológico, mas como um registro de um povo, envolve desafiar fronteiras sacrossantas"[19].

Esse texto da Joan Nestlé foi publicado na biografia dela, um livro de 1987, e ela cita o texto da Rich, que foi publicado originalmente em 1980, então é do meu entendimento que ela escreveu esse texto aí entre 1980 e 1986. A Nestlé se identifica como uma mulher lésbica judia e vai falar da problemática da invisibilização da experiência das lésbicas étnicas, que já era largamente denunciada pelas feministas lésbicas negras, como a Audre Lorde e a Cheryl Clarke, pelas lésbicas *chicanas*, como a Gloria Anzaldúa e a Cherrie Moraga, por mulheres

---

18. Em textos de língua inglesa, *queer* faz referência a todas as identidades estigmatizadas pela sexualidade e identidade de gênero, ou seja, LGBTQIA+.
19. NESTLÉ, Joan. Lesbians and Prostitutes: a Historic Sisterhood. In: *A Restricted Country*. Ithaca: Firebrand Books, 1987.

nativo-americanas, como a Paula Gunn Allen e outras, de outras etnias. E vai dizer que essa mesma invisibilização ou – para sermos mais contundentes – esse mesmo *apagamento* de experiências e história vivem as lésbicas prostitutas. E ela vai trazer alguns elementos históricos para mostrar que desde o século XV era, inclusive, usual que casas de prostituição administradas por mulheres se transformassem em conventos, e que nesses lugares – tanto nos conventos quanto nas casas de prostituição – sempre houve processos de iniciação de mulheres mais jovens em práticas sexuais conduzidos por mulheres mais velhas. Por que é que só os relatos dos conventos entram para os anais lesbofeministas?

Nesse texto, Joan Nestlé conta um pouco de sua própria história. Ela foi criada apenas pela mãe e se lembra que, em momentos em que sua mãe estava desempregada, elas chegaram a morar em hotéis baratos. Lendo memórias de sua mãe após ela falecer, lembrou que sabia que a mãe por ocasiões houvera se prostituído para a sobrevivência das duas. Que ela mesma, a Joan, também já havia adentrado âmbitos do "sexo público", pois escrevia histórias de sexo para revistas lésbicas, posava para fotografias explícitas de fotógrafas lésbicas, fazia leitura de material erótico com roupas sexualmente reveladoras e já tinha recebido dinheiro de mulheres por atos sexuais. E ela se lembra de que, nos anos 1950 e 1960, muito antes de entrar no âmbito do "sexo público", quando aprendeu a viver sendo lésbica, sempre dividiu mesas de bares com prostitutas. Sempre viveram juntas, foram amigas, fizeram sexo umas com as outras. E foram as brigadas contra os vícios, precursoras da "Divisão de Moralidade", que criaram um enorme vão entre lésbicas e prostitutas.

Nessa "Divisão de Moralidade" estadunidense, as lésbicas feministas não tiveram pudor, conta a autora, em se associar com religiosos (que também as perseguiam!) para se posicionar contra a pornografia. E ela lembra das primeiras conferências de feministas radicais sobre a prostituição, em que lésbicas feministas falavam da prostituição como um mundo completamente alienígena, em que as prostitutas eram inimigas ou, na melhor das hipóteses, eram mulheres indefesas que precisavam ser resgatadas.

Eu consigo me reconhecer nessa história, pois foi também dividindo mesa de bar com prostitutas que descobri meu modo feminista de ser. Minha lesbianidade eu conheci com amigos gays, mas aprendi a ser uma lésbica feminista ativista ao lado de putas. Foi com Indianarae Siqueira, desde 2013 sendo sua advogada em manifestações contra o governo e também sua amiga, depois nas construções da Marcha das Vadias (MdV) do Rio de Janeiro, mais adiante com o PreparaNem e a CasaNem. Eu soube que existia "feminismo radical", com esse nome, em 2012, quando estudava para construir meu projeto de mestrado para seleção de ingresso no programa de pós-graduação em Direito da Universidade Federal do Rio de Janeiro (UFRJ). Li sobre. Quando entrei na organização da Marcha, soube que houvera cisões por causa da aversão à prostituição, um grupo de mulheres era contra e não queria que se falasse sobre regulamentação. Elas saíram da organização e não estavam lá quando eu cheguei, então também não as conheci de fato. Aos poucos, fui vendo, pelo Facebook, a virulência e o discurso de ódio contra travestis no feminismo, o que se intensificou com o passar dos anos.

Na MdV de 2015, houve um grupo de mulheres que entrou na concentração, anterior à saída da marcha, distribuindo panfletos transfóbicos e putafóbicos. Pedimos, pelo microfone, que elas se retirassem, pois aquele evento era construído, também, com prostitutas e com travestis e mulheres transexuais. Em 2016, resolvemos realizar um debate na CasaNem sobre turismo sexual e Olimpíadas, com o Comitê Popular das Olimpíadas. E aí foi o show de horrores, conheci (e tenho *prints* disso) muito ódio direcionado contra nós, que éramos da organização, mas principalmente contra as prostitutas que comporiam o debate:

Indianarae Siqueira, Monique Prada e Amara Moira. Ameaçaram, inclusive, chamar a Polícia Federal para intervir no debate. Foi no mesmo ano em que o Brasil inteiro ficou chocado por causa da invasão da Polícia Federal em uma universidade, em um evento onde se discutia sobre a criminalização do aborto. Eram mulheres que se diziam feministas – e feministas *radicais*, ou seja, muito feministas mesmo – que ameaçavam chamar o poder de punição do Estado contra outras mulheres, contra outras feministas. Contra mulheres cis lésbicas, mulheres cis bissexuais, mulheres cis heterossexuais, mulheres trans e travestis, também lésbicas, bissexuais ou heterossexuais.

Eu nunca me identifiquei com esse tipo de lesbianidade.

Ser e me reconhecer lésbica, para mim, foi a libertação das amarras de uma criação conservadora, religiosa. Foi me encontrar comigo mesma. E eu fui e sou muito feliz com minhas amigas que também são lésbicas, ou bissexuais, ou heterossexuais, que são cis ou que são trans, travestis, com meus amigos cis gays, com meus amigos trans gays, bissexuais ou héteros. E algumas dessas amigas com quem sou muito feliz são ou já foram prostitutas. Encontrar o ativismo feminista na cidade do Rio de Janeiro ampliou meus horizontes, me abriu um mundo de possibilidades. Eu jamais poderia me identificar com o tipo de gente que quer a destruição dos regimes políticos só até onde lhes convém. A heterossexualidade compulsória tem que ser destruída, sim. A cisgeneridade compulsória também. O capitalismo tem que ser destruído, sim. O estigma e o tabu sobre o sexo também.

"Na sociedade ideal não vai existir prostituição, porque ninguém vai precisar se prostituir para ter o que comer ou teto e cama para dormir." Oras, eu quero a sociedade ideal em que o sexo não seja um tabu, onde prestar serviço sexual não queira dizer mais nem menos de alguém, além do fato de que ela ou ele prestam serviços sexuais. Se a sociedade for ideal, por que o sexo vai continuar sendo sagrado, criminoso ou um pecado?

Se reconhecemos que os corpos são políticos e que a sexualidade é legislada pela Igreja ou pelo Estado, por um regime heterossexualista reprodutivo, temos também que reconhecer que as existências sexualmente estigmatizadas somos as lésbicas, sim. Mas não só nós, são também todas as pessoas cuja prática sexual confronta o regime político da servidão feminina à dominação masculina. Não só as lésbicas, mas também as prostitutas, também as pessoas que não se conformam com a cisgeneridade como padrão de determinação de seus gêneros.

As lésbicas, há muitos anos, chamam a atenção para a captura do movimento LGBTQIA+ por homens gays. Mas não estamos sozinhas nessa questão, porque quem faz a captura é a hegemonia, então quem vem historicamente denunciando o higienismo de um movimento que começou como emancipatório são as lésbicas, as bichas afeminadas, as travestis, as mulheres e homens trans. Da mesma maneira, as pessoas LGBTQIA+ negras, indígenas, não brancas denunciam a hegemonia branca do movimento, como também é denunciada a agenda neoliberal e colonizatória da comercialização de nossa existência pelo consumo. Isso é importante que conversemos, porque, de um tempo para cá, as pessoas trans conseguiram criar um túnel de visibilidade no muro pesado hegemônico higienista GGGG[20]. E a agenda trans tem sido mais visibilizada, o que é uma grande conquista. Algumas lésbicas dizem que as trans se aliaram aos gays e que ambxs promovem uma invisibilidade sapatão. E acho que precisamos também falar um pouco sobre isso.

Nessa lógica de captura de hegemonias, não podemos esquecer que a masculinidade é hegemônica, o que vai significar um distanciamento/apagamento/silenciamento do feminino sempre que os movimentos não forem feministas ou antissexistas.

---

20. Uma ironia para referência à hegemonia masculina cisgênera, branca e proprietária do movimento LGBTQIA+.

A misoginia é um dado histórico, social, então, também no movimento LGBTQIA+, os homens vão ser mais costumeiramente ouvidos. A disputa pela narrativa feminista não é só para ser feita com mulheres e homens cis, mas também com mulheres e homens trans, e os movimentos transfeministas protagonizam isso, chamam a atenção para isso. Além do mais, a heterossexualidade é hegemônica, e há pessoas heterossexuais entre nós, pois há mulheres e homens trans heterossexuais que vão precisar compreender a heterossexualidade como regime político e vão precisar se colocar contra ela. E as pessoas transfeministas também fazem essa disputa.

Não digo que apenas pessoas trans reproduzam o machismo ou a heteronormatividade. As lésbicas que são politicamente engajadas sabem que tem muita sapatão que reproduz machismo, reproduz heteronormatividade, mimetizando comportamentos agressivos ou violentos com outras mulheres lésbicas.

Quero chamar a atenção ao fato de que sabemos que esses comportamentos estão entre "nós" (lésbicas cis), e muitas temos a paciência e a razoabilidade de lidar com outras lésbicas cis para construir outras formas de pensar e se comportar. E não somos as únicas que fazem isso, as pessoas trans também o fazem com outras companheiras trans e também com lésbicas, bissexuais e gays, assim como nós lésbicas cis fazemos com gays e bissexuais. Por que é, então, que algumas lésbicas feministas parecem escolher não ter a mesma paciência e razoabilidade com pessoas trans que se aliem a gays racistas e misóginos contra nós? Elas abriram um túnel e tiveram nossa ajuda para isso, pois historicamente estamos juntas combatendo o machismo. Com a ajuda delas, nós também e temos aberto os nossos, e é apenas juntas que conseguiremos derrubar o muro hegemônico higienista.

Alguns homens cis gays vão preferir continuar alimentando uma disputa ou rivalidade entre mulheres cis e trans. O que eles vão fazer? Vão jogá-las contra nós e a nós contra elas, seja escancaradamente, levando-as a reproduzir discursos lesbofóbicos e nos levando a reproduzir discursos transfóbicos (como apoiando lésbicas feministas radicais transexcludentes, inclusive inventando "movimentos" LGB), seja a partir de lógicas de invisibilidade. Essas são as mais sutis, acontecem quando, por exemplo, no mês do orgulho LGBTQIA+ ou da visibilidade lésbica, homens organizam eventos convidando apenas lésbicas trans, nos deixando de fora, ao passo que nós lésbicas cis feministas transinclusivas reconhecemos a importância de, nas atividades de visibilidade lésbica, sempre haver lésbicas trans. São armadilhas misóginas de silenciamento e de fomento à rivalidade feminina.

O que temos que fazer é continuar a buscar as alianças entre lésbicas cis e lésbicas trans para combater a heteronormatividade do movimento LGBTQIA+. Continuar a buscar as alianças entre lésbicas e bissexuais cis e trans com heterossexuais trans para combater a misoginia do movimento, assim como a entender que são nosses aliades, de um ponto de vista histórico, as pessoas não binárias, os homens trans e as bichas afeminadas. E é dever de toda e cada uma das pessoas brancas LGBTQIA+ reconhecer a importância da agenda antirracista e colaborar no combate ao racismo que vemos dia a dia, inclusive quando nós mesmxs, brancxs LGBTQIA+, somos racistas.

Quando as hegemonias tentarem nos capturar, temos que ser sagazes, ouvir e sair "à esquerda". Em todos os momentos.

Se queremos – e queremos! – uma sociedade mais igualitária, a luta para isso se faz reconhecendo a colonialidade do poder até em nós mesmas, agindo contra os silenciamentos e apagamentos históricos e rompendo com as estruturas que sustentam, alimentam e aprofundam desigualdades.

O espaço do sexo público sempre fez parte das existências LGBTQIA+. Historicamente, as prostitutas, as lésbicas, as travestis e mulheres trans fomos identificadas pelo nosso modo de viver e de existir, que é diverso do que se espera que sejam os das "boas mulheres". Sempre fomos identificadas pelas roupas que usamos, pelo jeito como andamos e como falamos e pelas pessoas com quem nos associamos. Estivemos juntas ao longo da história, foram lésbicas caminhoneiras, bichas afeminadas, prostitutas e travestis que iniciaram a tão conhecida Revolta de Stonewall, por exemplo.

E é nossa aliança, de todas as existências sexualmente estigmatizadas, que tem a potência de romper e destruir os regimes de vigilância e controle sobre os corpos, inclusive beneficiando as pessoas cisgêneras e heterossexuais, ao acabar com a imposição de feminilidades e masculinidades hegemônicas.

Amana Rocha Mattos

Subjetivações de raça e gênero a partir de fragmentos de memória

Dedico este texto à professora Águida Oliveira de Paula, "tia" Águida (in memoriam)

A MEMÓRIA É UMA grande bricolagem. Aquilo que "somos", que constitui nossa história, passa por muitas narrativas, as quais em sua maioria nos são contadas, repetidas, dadas de empréstimo a fim de que nos viremos para criar, a partir delas e de tantos outros retalhos e silêncios, uma história para chamar de nossa. Este texto trata, por fragmentos de memória, de questões que são caras aos feminismos interseccionais e que tenho recuperado em minha própria trajetória: como raça e gênero se cruzam, aproximando-se e distanciando-se nas experiências cotidianas, e quais os efeitos subjetivos desses atravessamentos. Mais do que totalizar uma narrativa, proponho pensar um constante movimento, o que em minha trajetória significou que me identificar como feminista e me reconhecer como pessoa branca foram processos com temporalidades distintas. Por mais que essa trajetória seja pessoal e singular, deu-se em contextos sociais marcados por desigualdades estruturais e, por essa razão, pode ser lida também (ainda que não apenas) à luz de questões e tensões próprias do Brasil contemporâneo.

O primeiro fragmento que trago é uma cena de sala de aula. Fiz o primeiro e o segundo graus (atuais ensino fundamental e médio) em uma escola particular no interior do Rio de Janeiro, entre os anos 1980 e 1990. A escola era pequena, progressista, com ensino de ótima qualidade. Eu e minhas irmãs tivemos bolsa de estudos integral durante toda nossa formação, pois minha mãe era professora da escola e, na época, dependentes de professores/as tinham direito à gratuidade garantido pelo sindicato. A clientela da escola era de crianças de famílias de classes média e alta, e eu estudei com filhos/as de políticos e empresários da cidade; na convivência uniformizada na escola, as desigualdades de classe não ficavam tão evidentes.

A escola era de maioria branca. Eu tive, entretanto, professores/as negros/as em diversos momentos da formação. Minha primeira professora negra foi a "tia" Águida, na quarta série. Ela dava aula de estudos sociais e língua portuguesa e propunha atividades instigantes para a turma. Lembro de cantar, ler poesia, desenhar e debater muito em suas aulas. Ela também falava sobre questões raciais e desigualdades sociais, em debates que me mobilizavam. Era uma professora que eu admirava e com quem aprendi muito. Certo dia, em meio a uma aula sobre o período da escravidão no Brasil, ela nos provocou a pensar nos efeitos do racismo na sociedade brasileira contemporânea. Eu e outra colega, as "melhores alunas" da turma, estávamos engajadas na discussão, participando ativamente. De repente, ocorreu-me algo que pareceu ser uma boa ideia: falei, entusiasmada, que era importante eu e minha colega estarmos compartilhando nossa opinião, "mas seria bom ouvir o que o Rodrigo e o Thomás[1] achavam disso" – referindo-me aos dois alunos negros da turma, que estavam em silêncio e não costumavam

---

1. Nomes fictícios.

falar em público. Lembro-me de sentir como se eu tivesse percebido algo em primeira mão: havia alunos negros na sala e eles *precisavam* falar sobre escravidão e racismo! Essa sensação veio acompanhada de um sentimento de vaidade pelo "dever cumprido" da boa aluna que eu era. Ser boa aluna na escola é uma função que articula, em proporções delicadas, gênero, raça, classe e sexualidade. Como aponta Carvalho[2], a disciplina escolar é talhada de maneira a fazer caberem, especialmente, meninas e garotas que cumprem tarefas, comportam-se "bem", ajudam a professora, estudam a matéria, ensinam os colegas que apresentam alguma dificuldade, fazem perguntas que contribuem com a aula. No meu caso, assim como no caso de minha amiga de turma e de tantas outras boas alunas da escola, havia mais uma característica em comum: éramos brancas.

Não me recordo do que "tia" Águida disse após minha intervenção. Entretanto, sempre que essa cena me vinha à cabeça, além de evocar as emoções que senti na ocasião – como a sensação de estar fazendo algo inesperado e inteligente ao mesmo tempo –, trazia também algum constrangimento. Não sabia bem por quê. Talvez por reconhecer uma busca pela aprovação da professora que eu admirava. Mas eu também desconfiava que ter colocado meus colegas na berlinda dessa forma pode ter sido inconveniente. Mesmo para crianças de 9 anos, isso talvez fosse inapropriado. Apenas três décadas depois, pesquisando sobre feminismo negro, relações raciais e branquitude, retornei a essa cena com outros olhos. Lendo a obra de bell hooks[3], ouvindo e dialogando com feministas negras com quem militei em movimentos feministas, percebi que meu mal-estar com a cena sinalizava algo mais profundo e inconsciente para a boa aluna participativa na aula sobre escravidão no Brasil: mesmo que não intencionalmente, eu estava racializando dois colegas

---

2. CARVALHO, Marília Pinto de. O fracasso escolar de meninos e meninas: articulações entre gênero e cor/raça", *Cadernos Pagu*, n. 22, p. 247-90, 2004.
3. Em especial, HOOKS, bell. *Ensinando a transgredir*: a educação como prática da liberdade. Tradução Marcelo Brandão Cipolla. São Paulo: Martins Fontes, 2013.

em um debate sobre tráfico de pessoas, violência estrutural, racismo de Estado. Ao convocá-los a "participar" da aula, "dando sua opinião", eu os lançava para o centro de uma discussão sobre a desumanização histórica de pessoas negras, que perdura até os dias de hoje. Além disso, ao racializá-los, eu me recobria convenientemente de invisibilidade racial, colocando-me do lado de quem estava discutindo um assunto sem tanta propriedade "por não ser negra".

Sem que ninguém tivesse me dito isso, naquele momento eu dava mais um passo em meu processo de subjetivação como pessoa branca, sem problematizá-lo – algo típico da branquitude. Mesmo com as histórias de miscigenação que ouvi sobre minha família (meus antepassados que incluíam uma bisavó índia, uma família sertaneja), mesmo com o termo "morena" usado vez por outra para me adjetivar, essa cena em sala de aula recorta muito bem minha leitura racial sobre mim mesma: eu não era negra. Eu não percebia diferenças significativas de tratamento em relação aos brancos ricos à minha volta na escola. Como aponta Schucman[4], meu processo de racialização como menina/garota/pessoa branca deu-se pela invisibilização de minha raça e pela constante construção e explicitação da alteridade racial. Tal invisibilização da raça é feita de maneira a apagar constantemente esse marcador do sujeito branco; mas, vivendo em contextos estruturados pelo racismo, as pessoas brancas não são alheias à sua própria raça. Essa lógica do funcionamento da branquitude fica evidente na cena rememorada: com assertividade, digo que é o outro, negro, quem deveria falar sobre escravidão e racismo, pois eu mesma não teria "nada a ver com isso", apesar de estudar a matéria com afinco.

Ainda uma reflexão sobre o constrangimento que acompanhou a evocação dessa lembrança durante anos: mais

---

4. SCHUCMAN, Lia Vainer. *Entre o encardido, o branco e o branquíssimo*: branquitude, hierarquia e poder na cidade de São Paulo. São Paulo: Annablume, 2014.

recentemente, estudando sobre letramento racial crítico[5] e educação antirracista[6], vejo a importância de que essa discussão tenha sido proposta e conduzida por uma professora negra. Aos 9 anos, sendo uma boa aluna, o olhar da professora e sua aprovação significavam muito para mim. A escola tinha centralidade em minha vida naquele momento, e isso passava por corresponder às expectativas docentes e familiares, tirar boas notas, fazer os trabalhos com capricho. Não me recordo do que "tia" Águida falou após minha intervenção, mas algo me diz que sua presença e seu trabalho de educação antirracista em uma escola de crianças brancas privilegiadas certamente introduziram elementos que, de alguma forma, contribuíram para que essa cena não tenha passado *em branco*. Alguma alteridade pôde se colocar ali, acompanhando-me como desconforto, que só pude recolher e nomear décadas depois, a partir dos estudos sobre branquitude e letramento racial crítico.

Os debates feministas interseccionais se dedicam a discutir privilégios, vantagens e opressões que operam nos processos de subjetivação em contextos sexistas e racistas[7], como é o caso do Brasil contemporâneo. Crescer como uma menina/aluna branca significou vivenciar processos de subjetivação de gênero e raça bastante distintos, que se tocavam e se afastavam em diferentes momentos. Em relação ao primeiro, tive meu gênero reiteradamente marcado e convocado em situações prosaicas e também embaraçosas. Ser menina/garota nessa escola incluía poder participar do festival de dança organizado pela professora de educação física, com apresentação das melhores performances no teatro da cidade. Incluía, também, ouvir piadas machistas dos professores de ciências e biologia e rir com

---

5. TWINE, France Winddance; STEINBUGLER, Amy C. The Gap Between Whites and Whiteness: Interracial Intimacy and Racial Literacy. *Du Bois Review*, v. 3, n. 2, p. 341-63, 2006.
6. FERREIRA, Aparecida de Jesus. *Letramento racial crítico através de narrativas autobiográficas*: com atividades reflexivas. Ponta Grossa: Estúdio Texto, 2015.
7. DÍAZ-BENÍTEZ, Maria Elvira; MATTOS, Amana. Interseccionalidade: zonas de problematização e questões metodológicas. In: SIQUEIRA, Isabel Rocha et al. (Org.). *Metodologia e relações internacionais*: debates contemporâneos. Rio de Janeiro: Editora PUC-Rio, 2019. v. II.

a turma, às vezes com um certo desconforto. Era ter o tamanho do *short* regulado na entrada da escola, com comentários de um dos diretores sobre os "exageros" das meninas no vestir-se, sem que os rapazes fossem questionados da mesma forma. Era, ainda, poder andar de mãos dadas com minha melhor amiga, deitar abraçadas ao sol na hora do recreio, sem que nossa heterossexualidade fosse questionada pelos colegas ou professores, porque éramos carinhosas "como as adolescentes são". Em todas essas experiências de prazer, incômodo ou mesmo de injustiça, meu gênero era afirmado e nomeado, ainda que de maneiras com as quais eu não concordasse.

Algo muito distinto passava-se com minha raça. O silêncio sobre ser branco/a é produzido cotidianamente na vida de crianças e adolescentes brancos/as, mas isso não significa que sujeitos brancos não façam leituras raciais sobre si ou que não sejam lidos como tal pelos outros. Poucos anos depois, quando eu tinha cerca de 12 anos, estava com uma amiga, também branca, em uma loja de departamento na região comercial privilegiada da cidade. Circulávamos pelos corredores rindo, fazendo piadas com coisas tolas, conversando animadamente. Ao sairmos, um homem e uma mulher, seguranças da loja, nos abordaram e pediram para ver nossas bolsas. Atônitas, abrimos as bolsas, e eu me senti indignada com aquilo. Sabia que não tínhamos feito nada e que aquele constrangimento na calçada da principal rua da cidade era injusto. Enquanto nossas bolsas eram revistadas, uma mulher que passava viu a cena e, depois de sermos liberadas, veio falar conosco e dizer que aquilo não estava certo. Ela disse que deveríamos reclamar com os responsáveis pela loja. Sentindo-me apoiada por sua fala, convenci minha amiga a voltar à loja e pedimos para falar com a gerência. Eu estava um pouco assustada, mas com o sentimento de estar certa. Fomos levadas pelo gerente para um pequeno escritório empoeirado na sobreloja, distante do salão principal. Os seguranças foram chamados, e o gerente quis saber o que houvera.

Não me recordo exatamente do que eles disseram, mas ao final recebemos um pedido de desculpas do gerente, ao mesmo tempo que fomos chamadas à atenção, pois deveríamos nos "comportar" para não "levantar suspeitas", fazendo referência às nossas risadas, que provavelmente não se ajustavam ao perfil de "boas meninas" insuspeitas.

Recordar essa cena é revisitar atravessamentos muito marcantes de gênero e raça em minha própria história. Sermos pré-adolescentes brancas, bem-vestidas, rendeu-nos o apoio de uma desconhecida que presenciou a cena e também um pedido de desculpas acompanhado de uma represália sobre nosso mau comportamento. Senti algum medo quando o gerente nos conduziu até a salinha na sobreloja, um medo que meninas aprendem a sentir quando andam sozinhas pela cidade e percebem que, por serem meninas, podem correr riscos na presença de homens. Mas não senti o pavor que tantas crianças e jovens negros/as relatam quando se encontram em situações semelhantes, na presença de seguranças, vigias ou da polícia. De alguma forma, tive medo de ser assediada por ser uma garota, mas não tive medo de morrer, ir presa ou apanhar por conta de minha raça. Isso nem me passou pela cabeça.

O terceiro fragmento de memória é bem mais recente, recortado do semestre em que fiz meu estágio doutoral nos Estados Unidos, com uma bolsa de pesquisa. Em meu último dia no país, saí para comprar um cadeado para minha mala em uma lojinha de bairro no Brooklyn, onde estava hospedada na casa de uma amiga. Entrei em um armarinho e localizei o vendedor, no fundo da loja junto ao balcão comprido, conversando com outro homem. Perguntei se ele tinha o cadeado e, após comparar alguns modelos, escolhi um e paguei. Ao me dar o troco, o vendedor me perguntou se eu era brasileira e se estava morando na vizinhança. Enquanto eu respondia, ele me estendeu um cartão, dizendo que, se eu quisesse trabalho, sua empresa tinha muitas oportunidades que poderiam me interessar. Olhei rapidamente o cartão e vi que se tratava de uma produtora de filmes pornográficos. Agradeci a oferta, expliquei que estava retornando para o Brasil naquele dia e me despedi. Achei a situação curiosa e inusitada, mas a retomada das atividades após a experiência no exterior, tendo uma tese para finalizar e defender, acabou deixando esse episódio em algum canto da memória.

Foi só anos depois, quando eu já era professora universitária e participava de movimentos feministas, que o ocorrido ganhou outras cores. Presenciar embates e debates sobre raça e feminismos, discutir com feministas negras e brancas os privilégios e opressões raciais que se materializam nas pautas e lutas de diferentes mulheres me confrontou com a necessidade de que pessoas brancas se percebam como tal, o que é um processo complexo, uma vez que não são (somos) racializadas em suas (nossas) trajetórias, como nos ensina Bento[8]. Ler e ouvir feministas negras falando sobre os cruzamentos entre racismo e hipersexualização de seus corpos e sobre como isso produz situações de preconceito e violência de gênero me remeteu à cena do armarinho no Brooklyn e à oferta de trabalho como atriz pornô. Fui me dando conta de que aquela oferta – acompanhada da pergunta se eu era brasileira – foi feita a partir de uma leitura racializada de meu gênero, acionando estereótipos de sensualidade, erotismo e disponibilidade para o trabalho sexual frequentemente experimentados por mulheres brasileiras no Norte global. A situação permitiu que eu pudesse, em uma escala muito distinta, ouvir os relatos de mulheres negras sobre a articulação em uma mesma vivência dos marcadores raciais e de gênero, como Crenshaw[9] define tão bem a partir da noção de encruzilhada interseccional. Essa aproximação, entretanto, tinha limites. Meu gênero foi racializado na cena em questão

---

8. BENTO, Maria Aparecida Silva. Branquitude e branqueamento no Brasil. *Psicologia social do racismo: estudos sobre branquitude e branqueamento no Brasil.* Petrópolis: Vozes, 2014. p. 25-57.
9. CRENSHAW, Kimberlé. Mapping the Margins: Intersectionality, Identity Politics, and Violence Against Women of Color. In: FINEMAN, Martha Albertson; MYKITIUK, Roxanne (Org.). *The Public Nature of Private Violence:* the Discovery of Domestic Abuse. Nova York: Routledge, 1994.

porque eu estava em um contexto em que era lida como latina e, mais especificamente, brasileira. Ocorre que nenhum desses termos está presente em nosso cotidiano de hierarquizações raciais no Brasil, onde as relações raciais organizam-se por outros referenciais, tributários de séculos de escravização negra e indígena e de políticas de Estado de branqueamento da população. Se os dois fragmentos de memória de infância que trouxe inicialmente evidenciam algo, é que meu processo de subjetivação *não* me inseriu em um grupo racial oprimido. Em outras palavras, revisitar essa cena confrontou-me com duas importantes questões: que raça é uma categoria social a ser compreendida em um determinado contexto sócio-histórico[10]; e que em meu país, lugar onde cresci e vivo, eu sou branca.

A discussão sobre os processos de racialização de pessoas brancas no Brasil parece-me necessária, uma vez que o mito da democracia racial que paira sobre nossa sociedade transforma em tabu esse debate, em diferentes âmbitos. Se pensarmos especialmente nos movimentos pelos direitos de minorias de gênero e sexualidade (como os movimentos feministas e LGBTQIA+), vemos que a percepção das opressões e discriminações vividas por sujeitos brancos não necessariamente contribui para uma maior compreensão do racismo naturalizado em nossa sociedade[11]. Viver um determinado tipo de discriminação não nos ensina automaticamente sobre os mecanismos de outras opressões nem nos isenta de praticá-las, como é o caso do racismo. Além disso, ser racializada em outros contextos geográficos e culturais não faz de mim, necessariamente, uma pessoa racializada em meu país e cidade de origem – supor isso exigiria tomar raça como uma noção estanque, essencializada ou mesmo biológica, perspectivas que estão na contramão dos debates antirracistas no campo das relações étnico-raciais.

---

10. GUIMARÃES, Antonio Sergio A. *Racismo e antirracismo no Brasil*. Rio de Janeiro: Editora 34, 1999.
11. MARCINIK, Geórgia Grube; MATTOS, Amana Rocha. Mais branca que eu?: uma análise interseccional da branquitude nos feminismos. *Revista de Estudos Feministas*, Florianópolis, v. 29, n. 1, e61749, 2021.

Por fim, tenho pensado na importância dos processos de educação antirracista, especialmente em contextos de educação formal, a partir dos desafios do letramento racial crítico. É importante pensarmos sobre a complexidade dos espaços educativos em que frequentemente nos deparamos com falas, práticas e posturas preconceituosas ou que reforçam normatividades excludentes. Como nos preparar para lidar com o que se manifesta em sala de aula, nos corredores, nas interações nas redes sociais relacionadas às escolas? O que pode ser dialogado e o que de fato não cabe em espaços de aprendizagem? Tais contextos devem ser pensados de maneira que se possa fazer algo a partir da emergência do racismo e do sexismo nas práticas educativas, pois seria irreal supormos que essas lógicas não se farão presentes, uma vez que elas organizam nossa sociedade. Essa é uma tarefa que traz muitos desafios e que não deve ser encarada apenas com boas intenções – daí a importância de o tema estar presente nos projetos político-pedagógicos das escolas, na formação continuada de quem ensina e em documentos oficiais que normatizam a educação no país. Compreender os processos de subjetivação e como estes articulam gênero e raça é importante para discutirmos como os sujeitos se produzem e são produzidos, mas não devemos, em nossas análises, perder de vista as desigualdades estruturais que materializam o racismo e o sexismo na sociedade. Nesse sentido, a análise de experiências subjetivas informa como esses processos se dão, e a reflexão sobre elas pode contribuir para proposições que tenham como objetivo enfrentar tais desigualdades.

Geórgia Grube Marcinik

Entre discursos e práticas: a branquitude nos movimentos feministas e o papel das pessoas brancas na luta antirracista

ESTE CAPÍTULO É UM convite, às leitoras e aos leitores, para a reflexão a respeito da importância da discussão sobre a branquitude presente nos feminismos a partir das produções não hegemônicas desse movimento social. Busco enunciar de que forma se (re)produzem e se reforçam as hegemonias e as relações de saber-poder intragênero. Para tal, proponho que realizemos esse questionamento a partir de uma descolonização do saber, isto é, a partir de referências e saberes feministas que não estão em uma situação dominante de produção científica, mas que têm uma potência extremamente relevante e significativa para a (des)construção de pensamentos e práticas arraigadas, colonizadas e normativas em nossas subjetivações como um todo.

O texto traz um recorte da pesquisa que fiz no mestrado e é permeado por todos os meus atravessamentos enquanto pesquisadora, feminista e mulher branca, disposta a construir horizontalmente com outras mulheres que também estejam abertas à reflexão sobre raça, gênero e movimentos feministas a partir da óptica de privilégios e suas consequentes vantagens e direitos. Foi por meio do meu próprio processo de racialização como pessoa branca que me comprometi com a temática e a proposta deste trabalho.

> Parece-me que quanto mais ouço a mim mesma, mais ouço o outro. Por isso, a percepção de si está sempre vinculada à percepção do outro. E talvez seja por essa razão a dificuldade de descolar o outro de si, chegando ao ponto de dizer e chamar o outro de eu mesmo.[1]

A proposta é pensar as relações de poder intragênero e como elas se evidenciam e se materializam, no cotidiano e no dia a dia, em lugares em que se busca a igualdade, como os movimentos feministas. Para isso, é de extrema importância explicitar o cuidado na construção da estrutura do texto e na sensibilidade em acolher a pluralidade das mulheres e dos feminismos. Feminismo é existência, é resistência, é prática, é luta. Valorizar a multiplicidade da escrita feminista e de mulheres é urgente nos contextos acadêmicos e políticos; por essa questão, escolhi construir um trabalho que dialoga e referencia apenas e somente mulheres – respeitando as suas diversas formas de ser e estar no mundo.

A teoria e a prática podem ser uma forma de libertação, mas também de aprisionamento. Podem ser revolucionárias, mas, também, potentes armas de destruição. Podemos fazer teoria ou usar dela sem jamais conhecermos profundamente um conceito, "assim como podemos viver e atuar na resistência feminista sem jamais usar a palavra 'feminismo'"[2]. Afinal o que o termo "feminismo", como conceito ou teoria, legitima ou (des)constrói? A partir de quais mulheres temos acesso a esse saber?

Frequentemente escutamos de mulheres negras que o movimento feminista (seja acadêmico, seja ativista) não as acolhe,

---

1. FREIRE, Ida Mara. Tecelãs da existência. *Estudos Feministas*, v. 22, n. 2, p. 565-84, 2014.
2. HOOKS, bell. *Ensinando a transgredir*: a educação como prática da liberdade. Tradução Marcelo Brandão Cipolla. São Paulo: WMF Martins Fontes, 2013.

ou que é opressor e racista, ainda que de maneira velada. Ao pautarem essas questões nos meios majoritariamente brancos dos feminismos, mulheres negras e indígenas[3] são apontadas como aquelas que "dividem a causa comum das mulheres", criando tensões que atrasariam a luta coletiva por melhores condições para "todas as mulheres". O lugar racializado de mulher, que porta pautas "específicas", é designado às mulheres negras e indígenas, em oposição ao conjunto universalizado de mulheres, que é conduzido com o viés da invisibilização da raça branca como um marcador social digno de análise[4].

São raras as vezes em que feministas brancas interseccionam analiticamente raça, sexo/gênero e classe em suas teorias e práticas. Com frequência, elas reconhecem tais especificidades, mas não há um espaço horizontal para esse diálogo em suas produções e agendas, e o movimento crítico ocorre de forma diferenciada quando as questões raciais são pautadas. É preciso pensar nos motivos pelos quais não se desconstrói a ideia de universalização do ser mulher para feministas brancas, que persiste até os dias atuais[5].

Para que isso aconteça, é importante situar a branquitude dos movimentos feministas, assim como as suas repercussões e construções subjetivas. Partindo de uma perspectiva histórica, percebemos a complexidade que há em se (d)enunciar a questão de ser "branca" nas diversas esferas, sejam elas sociais, políticas, ideológicas, acadêmicas, culturais, e assim por diante, principalmente no Brasil. Tal complexidade pode se configurar a partir da ideia que pessoas brancas têm de não se reconhecerem ocupando uma posição privilegiada racialmente, o que,

---

3. As minorias raciais variam nas diferentes partes do mundo. No Brasil, em função do processo colonizador promovido por Portugal, as raças negra e indígena constituem os principais grupos étnico-raciais que vêm sofrendo racismo, extermínio, marginalização e invisibilização em diferentes níveis, desde o século XVI.
4. MARCINIK, Geórgia Grube; MATTOS, Amana Rocha. Branquitude e racialização do feminismo: um debate sobre privilégios. In: OLIVEIRA, João Manuel de; AMÂNCIO, Lígia (Org.). *Gêneros e sexualidades*: interseções e tangentes. Lisboa: ISCTE-IUL, 2017. p. 159-73.
5. HARAWAY, Donna. Saberes localizados: a questão da ciência para o feminismo e o privilégio da perspectiva parcial. *Cadernos Pagu*, n. 5, p. 7-41, 1995; id., "Gênero" para um dicionário marxista: a política sexual de uma palavra. *Cadernos Pagu*, n. 22, p. 201-46, 2004.

consequentemente, (re)produz formas de opressão que se consolidam por meio da denúncia de privilégios de outros grupos.

Nessa perspectiva, é necessário que analisemos a pessoa branca – neste caso, as feministas brancas – como pertencente a um lugar simbólico que não é estabelecido por questões genéticas, mas por posições e lugares sociais que os sujeitos ocupam em função de seu fenótipo racial. Como discutiremos neste artigo, tomamos, aqui, o conceito de raça como um constructo social. Racializar a pessoa branca, ou seja, considerar a branquitude como algo que atravessa diretamente os sujeitos e que foi, ao longo do tempo, se consolidando e se constituindo normativamente por meio da interlocução de privilégios históricos e políticos, é imprescindível para que se entenda a posição sistemática desses sujeitos "no que diz respeito ao acesso a recursos materiais e simbólicos, gerados inicialmente pelo colonialismo e pelo imperialismo, e que se mantêm e são preservados na contemporaneidade". Portanto, a compreensão da branquitude requer que se entenda "de que formas se constroem as estruturas de poder concretas em que as desigualdades raciais se ancoram"[6].

A questão aqui exposta não diz respeito apenas a sentimentos preconceituosos que porventura feministas brancas possam experienciar, mas a um movimento que mantém as mulheres brancas ocupando melhores lugares (inclusive nos feminismos) em função de seus privilégios raciais, mesmo que não os reconheçam. Para isso, é necessário compreender o que faz com que os dispositivos de proteção da branquitude se mantenham e legitimem práticas opressoras em relação a outras mulheres, como, por exemplo, às mulheres racializadas. A branquitude opera nas relações intragênero como potencial força de poder[7].

---

6. SCHUCMAN, Lia Vainer. *Entre o encardido, o branco e o branquíssimo*: branquitude, hierarquia e poder na cidade de São Paulo. São Paulo: Annablume, 2014.
7. CARONE, Iray; BENTO, Maria Aparecida Silva. *Psicologia social do racismo*: estudos sobre branquitude e branqueamento no Brasil. Petrópolis: Vozes, 2014; SOVIK, Liv. *Aqui ninguém é branco*. Rio de Janeiro: Aeroplano, 2009.

Nesse sentido, apresento a seguir alguns fragmentos das entrevistas que fiz com cinco mulheres que se autodeclaravam brancas e feministas, dispostas a dialogar sobre branquitude nos movimentos feministas a partir de uma óptica de privilégios. Os dados coletados durante as entrevistas e expostos na Tabela 1 mostram a importância de entender que a racialização de feministas brancas e, consequentemente, a branquitude nos movimentos feministas não são fixas nem as mesmas para todas. Raça é uma construção social relacional, que se constitui de diferentes formas a partir de marcadores sociais da diferença, como geração, regionalidade, classe, sexualidade, entre outros.

Tabela 1. Entrevistadas.

Nome (fictício)	Alice	Carolina	Amanda	Vanessa
Idade	55 anos	41 anos	16 anos	34 anos
Gênero	Feminino	Mulher trans	Feminino	Mulher cis
Orientação sexual	Heterossexual	Bissexual	Bissexual	Bissexual
Raça	Branca	Branca	Branca	Branca
Situação econômica	Classe média	Pobre	Classe média baixa	Classe média
Região de origem	Centro-Oeste	Sudeste	Sudeste	Nordeste

Fonte: Dados coletados durante o estudo. Respostas espontâneas das entrevistadas.

A branquitude nos movimentos feministas

NESTE EIXO DE ANÁLISE, propus entrecruzar as duas grandes temáticas da minha pesquisa: os movimentos feministas e a construção racial e subjetiva de mulheres brancas. Nessa perspectiva, quatro temas serão discutidos: (1) o que é ser uma feminista branca, (2) sobre a existência de um feminismo branco no Brasil, (3) se há racismo nos movimentos feministas e (4) qual o papel da pessoa branca na luta antirracista. A escolha desse caminho teve como propósito obter um panorama que acolha principalmente as práticas e os espaços feministas e, assim, analisar a branquitude dos movimentos feministas a partir da fala de feministas brancas.

Questionei, primeiramente, "O que é ser uma feminista branca?". Nota-se que duas perguntas similares já haviam sido feitas, vinculadas à noção de racialidade: "Quando você se percebeu como pessoa branca?" e "O que significa ser uma mulher branca?". O propósito de organizar dessa forma as perguntas na entrevista foi verificar como as feministas brancas entrevistadas absorviam as nuances interseccionais a cada questionamento. Assim, elas pontuaram:

> Ser uma feminista branca é, talvez, menos difícil. Continua sendo difícil por ser uma mulher, mas, novamente, cito os privilégios, que meus privilégios do dia a dia, mesmo que eu receba uma cantada péssima, é... muitos dos assédios não são voltados pra minha cor, por exemplo. Então é um pouco mais tranquilo, talvez, assim, mas ser mulher ainda é muita resistência. (Amanda)

> Aí eu já não sei o que é ser uma feminista branca, pra mim eu falo que feminismo é tudo na minha vida, [...] feminismo faz a diferença. E o fato de ser feminista branca talvez tenha me levado a muita coisa boa. (Alice)

De forma análoga às respostas das perguntas anteriores, as entrevistadas perceberam que o marcador social da raça remete a privilégios dentro do feminismo e que as lógicas de gênero são atravessadas de diferentes formas quando racializamos os corpos. Logo, experiências como o assédio serão vivenciadas de formas diferentes, fato que não deslegitima a sua trajetória enquanto mulheres que enxergam o feminismo como uma forma de resistir às opressões patriarcais. No entanto, em alguns fragmentos, pode-se notar que as entrevistadas não apontaram aspectos positivos no "ser feminista branca" – no sentido de ser uma característica perceptível. Trata-se de um entendimento de que há privilégios, mas que não se deve perspectivá-los como algo positivo, possível de horizontalizar relações hegemônicas intragênero. Por exemplo, Amanda, em um determinado momento, diz que "[...] eu sou uma feminista branca, [...] mas, é [risos], mas não me identifico tanto às vezes [com feministas brancas] [...]. Então, eu faço parte, mas, às vezes, em algumas divisões e coisas que acontecem nesse feminismo, eu não me enquadro".

Outra questão abordava o conceito de "feminismo branco", muito utilizado nas produções de mulheres racializadas, em contexto euro-estadunidense. Ao perguntarmos se "Existiria um feminismo branco no Brasil?", obtivemos diferentes respostas, que analisaremos a seguir.

> Não gosto desse termo! Não vejo assim. [...] qual seria o feminismo branco? Eu acho que no Brasil tá muito ligado ao feminismo de esquerda, as sufragistas, talvez, a questão do voto, eram mulheres que foram estudar na Europa, voltaram e trouxeram as ideias de emancipação. Agora depois da década de setenta e oitenta eu não vejo purismo, assim. Porque falar feminismo branco é um purismo. Eu conheço muitas brancas, você pega os nomes da época dessa relação, grandes feministas brancas, poucas negras de referência, né? Mas hoje... Eu não sei. O que seria um feminismo branco hoje? Quem tá na academia? Feminismo branco talvez seja esse grupo de mulheres que tão ali pra discutir benefícios pra elas. (Alice)

A temática geracional adquire um recorte importante de análise. Alice discorre que até a década de 1980, possivelmente, a existência de um feminismo branco ocorreria em virtude das poucas referências feministas negras. Será que tal dado, em si, já não anuncia um feminismo majoritariamente branco? Até a década de 1980, havia muitas mulheres negras no Brasil que traziam ideias de emancipação também, inclusive com um viés interseccional, como Lélia Gonzales e Beatriz Nascimento. Esse apagamento das mulheres racializadas no Brasil já anunciava a branquitude nos movimentos, perpetuada desde a década de 1970, quando as discussões feministas emergem no país. Ao mesmo tempo, declarar que "falar de um feminismo branco é um purismo" parece marcar um contraponto em relação ao feminismo negro (ou de mulheres racializadas), que tem como característica principal a raça – um grupo minoritário de mulheres que se aproximam para fortalecer suas pautas a partir do recorte racial. Nesse sentido, Carolina reflete sobre o feminismo branco a partir de outro viés, diferente do purismo:

> [...] o que existe é o movimento feminista predominantemente branco, a não ser os movimentos feministas exclusivamente negros, né. Existe o movimento feminista negro, exclusivo, e existe o movimento feminista que não necessariamente tem cor, mas é predominantemente dominado pelas pessoas brancas, onde elas ainda estão aprendendo a ceder espaços para as pessoas negras. (Carolina)

Tem-se, aqui, um ponto de destaque para entender a branquitude nos movimentos feministas. A ideia deste estudo não é essencializar feminismos, mas anunciar a forma como os corpos e as subjetividades de mulheres brancas estão ocupando os movimentos feministas e de como, a partir dessas subjetividades e formas de racialização, as práticas e produções feministas são constituídas. Esse reconhecimento constitui um passo importante para o avanço das discussões que não se resolvem apenas debatendo gênero, mas que consideram, também, a racialização da mulher branca.

Na sequência, questionei se, na concepção das entrevistadas, existe racismo nos feminismos, e elas se poderiam citar um exemplo ou narrar uma experiência em que presenciaram ou tomaram conhecimento dele. Todas afirmaram existir racismo nos feminismos, porém muitas não se recordavam de situações explícitas de discurso de ódio ou discriminação, articulando o fato de que, como vivemos em uma sociedade racista, muito facilmente teríamos feministas racistas.

> Este país aqui é tão racista. E quem é feminista também, né? As relações são muito autoritárias, eu já trabalhei com feministas de nome que são superautoritárias, vêm de uma raiz difícil de quebrar, né? Então eu acho que deve ter feminista racista, *é muito difícil não ser racista*. (Alice, grifo nosso)

> O que eu tenho visto é mais uma coisa subjetiva mesmo, entendeu? Com a gente, pessoas trans, foi bem incisivo, bem objetivo. Foi caso de transfobia mesmo. Agora, dentro do partido, dentro dos movimentos dos quais eu tenho participado, o que há realmente é esse racismo internalizado, entendeu? (Carolina)

Para finalizar o entendimento sobre a branquitude nos movimentos feministas, adentrei no último tema, que tinha como proposta a reflexão sobre o papel da pessoa branca na luta antirracista. Como anteriormente mencionado, o intuito do estudo não foi apenas de diagnosticar a branquitude nos espaços feministas, mas, para além disso, verificar como feministas brancas, que estão à frente de lutas políticas e identitárias sobre a questões de gênero, percebem sua responsabilidade quando a pauta racial é interseccionada em contextos intragênero. Nesse sentido, quando perguntadas "Você acha que pessoas brancas têm um papel na luta antirracista? Se sim, qual é?", as entrevistadas responderam:

> Tem porque, [...] as pessoas que mais são racistas são brancas, você vê desde o processo colonial, portugueses vieram pra cá, tomaram o lugar dos índios e escravizaram, começa tudo a partir desse

processo. Então eu acho que, historicamente, socialmente, sim, as pessoas brancas têm um processo, têm uma importância nesse processo antirracista pra que essas pessoas se desconstruam. (Amanda)

Os discursos das entrevistadas sobre essa temática foram diversos, mas se interseccionavam à medida que elas concordavam que, sim, pessoas brancas têm um papel na luta antirracista, principalmente porque "são as pessoas brancas que estão no poder. São as pessoas brancas que são eleitas, por conta desse racismo institucionalizado" (Carolina), e, consequentemente, são elas que mantêm uma lógica racista. Carolina afirmou que, primeiro, seria necessário perceber que o racismo existe:

> Reconhecendo que ele existe, que ele é devastador, que as pessoas sofrem, que as pessoas são impedidas de desenvolver suas potencialidades, de se expressar, então é reconhecer isso. Depois é participar das lutas.

Vanessa, por sua vez, comentou sobre o compromisso que a pessoa branca deve ter com a temática racial e com a luta antirracista: "E me parece que isso implica estudar, implica você se sensibilizar e perder um tempo, pegar um tempo da sua vida pra tentar entender essas coisas, assimilar, ou se expor mesmo, sabe? Sair da sua zona de conforto, do que você acreditou a vida inteira". Aqui, a entrevistada articula a tentativa de diálogo com outras pessoas brancas para que, coletivamente, haja um entendimento sobre como a branquitude aciona privilégios em um sistema estruturado pelo racismo. Geralmente, quando ocupamos lugares diversos e tentamos apresentar conceitos já compreendidos, como racismo e racialização de pessoa branca, não há investimento ou esforço dessas pessoas em posicionar-se em relação à raça[8].

---

8. CARNEIRO, Sueli. *Racismo, sexismo e desigualdade no Brasil*. São Paulo: Selo Negro, 2011; CARONE, Iray; BENTO, Maria Aparecida Silva. *Psicologia social do racismo*: estudos sobre branquitude e branqueamento no Brasil, op. cit.; SCHUCMAN, Lia Vainer. *Entre o encardido, o branco e o branquíssimo*: branquitude, hierarquia e poder na cidade de São Paulo, op. cit.

As entrevistadas também citaram situações mais práticas onde é possível ser antirracista:

> E eu acho que é se utilizar dos espaços que a gente tem, sabe? [...] Não se omitir a um comentário, não se omitir à reprodução, àquela reprodução leviana que as pessoas têm de senso comum, né, críticas, aprofundar, né? (Vanessa)

> É o dar mais acesso, ensino também ajuda muito, porque, quando elas conseguem ter acesso à educação, a educação muitas vezes é precária. [...] Então, é melhorar o ensino, oferecer mais oportunidades, mais acesso, ensinar desde pequeninho a aprender as diferenças, a respeitar tudo. São essas coisas. (Amanda)

> Eu tô chamando as minhas irmãs negras pra ocupar os mesmos espaços que eu ocupo. Porque eu, enquanto mulher branca, eu sei que eu transito em lugares públicos com mais facilidade que mulheres negras. [...] Quantas mulheres negras você vê em *shows* pagos, em teatro? [...]. Então eu pego pela mão e arrasto. (Carolina)

Nos recortes acima, percebemos que há duas perspectivas de práticas antirracistas levantadas pelas entrevistadas. Amanda e Carolina se colocam em uma posição de "facilitar o acesso" de pessoas negras à educação, à cultura, entre outros. Há um reconhecimento dos privilégios como brancas, mas há um posicionamento voltado para "salvar as mulheres negras", e não para disputar com pessoas brancas, como Vanessa traz. A reflexão do que significa ser antirracista é um ponto importante para entender as dimensões de privilégio e os desdobramentos na manutenção de uma estrutura essencialmente racista na qual nos inserimos. Nas duas falas em questão, as estratégias se voltam para pessoas negras – e isso pode fazer com que se apague a responsabilidade e o protagonismo das pessoas brancas na reprodução do racismo na sociedade. De uma forma mais restrita, Amanda diz que a criação dos filhos para que entendam as lógicas opressoras seria um caminho:

> [...] vai da criação dos filhos, de eles entenderem [...] que a amiguinha tem a cor diferente dele, se ele é branco, né? Que ela é igual a ele, que não tem diferença, e explicar também [...] o que é ser negro e o que é ser branco desde pequenininho também, para ele saber a diferença e não achar que é um ET, um extraterrestre.

Em todas as entrevistas, pode-se afirmar que foram mais recorrentes exemplos de práticas antirracistas que permitam e deem "oportunidades" para pessoas racializadas do que, de fato, falas sobre ações a serem desenvolvidas com pessoas brancas, para que, assim como Bento[9] pontua, estas entendam que relações raciais não têm como problema apenas o negro:

> [...] como se o branco não fosse elemento essencial dessa análise, como se identidade racial não tivesse fortes matizes ideológicos, políticos, econômicos e simbólicos que explicam e, ao mesmo tempo, desnudam o silencio e o medo.

Há diversas formas de pessoas brancas apoiarem a luta contra o racismo. Segundo Nogueira[10], a "política de alianças, considerando categorias negociáveis e provisórias, pode ser a resposta política, e a teoria da interseccionalidade uma resposta teórica". Precisamos saber ouvir quando o assunto é racismo, e precisamos, ao mesmo tempo, dialogar com outras pessoas brancas sobre algo que, para muitas, pode ser constrangedor e complexo.

A maioria das entrevistadas relatou que é necessário horizontalizar relações, ceder espaço e entender o seu lugar de fala. Ribeiro afirma que "falar a partir de lugares [...] é também

---

9. BENTO, Maria Aparecida Silva. Branqueamento e branquitude no Brasil. In: CARONE, Iray; BENTO, Maria Aparecida Silva (Org.). *Psicologia social do racismo*. Petrópolis: Vozes, 2014. p. 44.
10. NOGUEIRA, Conceição. *Interseccionalidade e psicologia feminista*. Salvador: Devires, 2017. p. 139.

romper com essa lógica de que somente os subalternos falem de suas localizações, fazendo com que aqueles inseridos na norma hegemônica sequer se pensem". Saber o nosso lugar de fala e entender como os corpos brancos, em sua materialidade, organizam os espaços que, a partir de como são atravessados pela branquitude, estabelecerão quem será validado e quem poderá falar é fundamental para "pensar hierarquias, as questões de desigualdade, pobreza, racismo e sexismo"[11].

Ademais, não basta apenas a compreensão do nosso lugar de fala a partir de uma postura ética: é necessário que tenhamos noção de que a pessoa branca na luta antirracista convoca uma problematização de seu corpo e de como pode horizontalizar seus privilégios, tanto materiais quanto simbólicos, para que os marcadores da diferença, como raça e gênero, possam ter menor impacto na produção de desigualdades sociais. A desconstrução do racismo só acontecerá quando os praticantes ou beneficiários desse sistema também se comprometerem com a causa, o que pode ser feito de diversas maneiras.

Na mesma perspectiva, Bento sugere que

> ler biografias e autobiografias de pessoas brancas que têm atravessado processos semelhantes de desenvolvimento da identidade oferece aos brancos modelos para mudança. Estudar sobre brancos antirracistas pode também oferecer aos negros a esperança de que é possível ter aliados brancos.[12]

Por fim, vale reforçar que é fundamental que quem está em um grupo social privilegiado, nesse caso, pessoas brancas, consiga, a partir desse lugar, se sensibilizar e desconstruir relações hierarquizadas de poder – sejam elas quais forem, com grande ou mínimo impacto – que subalternizam pessoas racializadas[13].

---

11. RIBEIRO, Djamila. *Lugar de fala*. São Paulo: Pólen, 2019. p. 84.
12. BENTO, Maria Aparecida Silva. Branqueamento e branquitude no Brasil. op. cit., p. 44.
13. RIBEIRO, Djamila. *Lugar de fala*, op. cit.

Algumas considerações

PODEMOS COMPREENDER GÊNERO COMO uma variável teórica que não pode ser dissociada de outras formas de opressão e que não pode ser analisada de uma única maneira. O feminismo precisa libertar todas as mulheres oprimidas, respeitando os seus diferentes contextos e vivências, e não apenas seguir uma lógica normativa etnocêntrica que essencializa corpos. Considerar a luta das mulheres como unidade não depende apenas de nos libertarmos das amarras da hegemonia masculina que nos assombra e sempre nos assombrou historicamente, mas exige a extrapolação desse raciocínio para que se evidenciem todas as ideologias de opressão, inclusive o racismo[14].

Conforme hooks[15] pontua, a "formação de uma teoria e uma práxis feministas libertadoras é de responsabilidade coletiva, uma responsabilidade que deve ser compartilhada". Criticar aspectos do movimento feminista hegemônico, isto é, discutir a branquitude a partir de uma perspectiva interseccional, é uma tentativa de "enriquecer, de compartilhar o trabalho de construção de uma ideologia libertadora e de um movimento libertador".

Discutir a questão de como racializar os feminismos a partir de um viés que foque a branquitude nos faz perceber quão imenso é o apagamento da categoria racial branca nos movimentos feministas. É, no mínimo, preocupante pensar que feministas se dedicam à visibilização das opressões de gênero universalizantes que sofrem e, ao mesmo tempo, são intransigentes aos apontamentos sobre o racismo estrutural, presente, também, nos espaços e nas teorizações feministas[16].

---

14. CARNEIRO, Sueli. Mulheres em movimento. *Estudos Avançados*, v. 17, n. 49, p. 117-32, 2003.
15. HOOKS, bell. Mulheres negras: moldando a teoria feminista. *Revista Brasileira de Ciência Política*, n. 16, p. 193-210, 2015, p. 208.
16. MARCINIK, Geórgia Grube; MATTOS, Amana Rocha. Branquitude e racialização do feminismo: um debate sobre privilégios, op. cit.

As interpelações feitas a respeito do lugar racial privilegiado ocupado por feministas brancas precisam ser elaboradas sob um viés em que nos tornemos capazes de incorporar, interseccionalmente, a questão racial em nossos estudos e análises sobre opressões de gênero, situando-nos, também, em marcadores raciais, e não apenas de gênero.

Além disso, é imprescindível avançar na discussão sobre o que significa produzir saberes antirracistas no feminismo a partir do lugar de feministas brancas. Isso significa dizer que o debate centrado na disputa sobre "Quem pode falar sobre racismo?" deva ser deslocado para "De que lugar eu falo sobre racismo?". Na minha concepção, tal reflexão precisa ser dialógica e permanente, em especial quando realizada por pessoas brancas. Não podemos supor que a nossa mera localização enquanto pessoas brancas seja suficiente para que o problema da branquitude esteja resolvido, pois esse constituiria apenas o primeiro passo. Para que não insistamos na essencialização de categorias raciais, é importante que nos posicionemos em permanente desconstrução de preconceitos arraigados, de concepções de merecimento baseadas em características raciais naturalizadas, permanecendo atentas às críticas de mulheres negras e indígenas a possíveis reincidências em lógicas racistas e desumanizantes, das quais pessoas brancas – inclusive mulheres – se beneficiam cotidianamente.

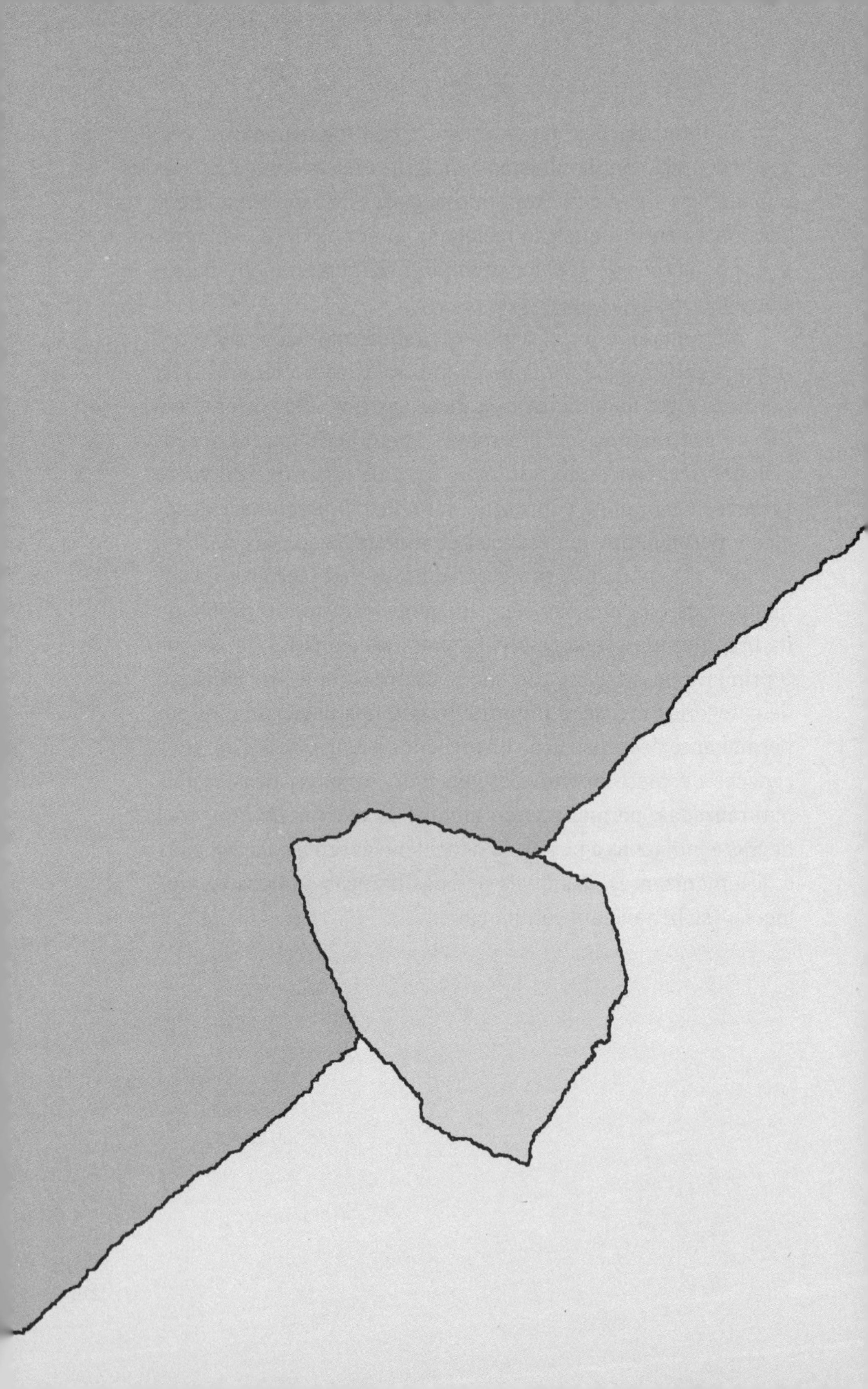

Henrique Marques Samyn

Sobre masculinidade negra e violência sexual

Mulatas de bom cabelo,
Cabrinhas de boa cor,
Crioulas só por dibique,
Branquinhas cheirando a flor,
Todas elas namorei
Porque sou conquistador![1]

AO COMPOR SUA ADAPTAÇÃO em sextilhas, no tradicional formato ABC, para as quadras tradicionalmente atribuídas a Lucas da Feira, Rodolfo Coelho Cavalcante concentrou as referências às mulheres na estrofe referente à letra M, acima transcrita. Não obstante, a sextilha oferece poucos elementos concretos para uma compreensão do tratamento dispensado às mulheres por aquela figura histórica. De fato, o que ali transparece é a seletividade própria do homem que, ao afirmar sua virilidade expressando a vontade de domínio sobre as mulheres – reclamando, por conseguinte, a posição de "conquistador" –, baliza esse gesto por critérios raciais: seu alvo são apenas as "branquinhas" ou aquelas que se aproximam dos parâmetros estéticos da branquitude (evidenciados pelo "bom cabelo" ou pela "boa cor"); as negras são procuradas apenas fortuitamente, por zombaria

---

1. CAVALCANTE, Rodolfo Coelho. *ABC de Lucas da Feira*. Salvador: s.n., s.d., p. 5.

("por dibique"). O fato de a voz pertencer a um homem negro expressaria, nesse sentido, um rigor particular, manifestado pela disposição a compor um rol de "namoradas" eleitas a partir de um critério específico; por outro lado, a isso subjaz uma questão notória: o fato de os versos serem atribuídos a um ex--escravizado, transformado em uma figura heroica pela imaginação popular.

Nascido em 18 de outubro de 1807, na Freguesia de São José das Itapororocas[2], Lucas Evangelista dos Santos era propriedade de um padre, José Alves Franco. Descrito como rebelde desde criança, jamais teria trabalhado regularmente. Ao longo de constantes fugas, Lucas estabeleceu contato com escravizados revoltosos, quilombolas e salteadores; a partir de 1840, deu início à formação de seu bando, que possivelmente reunia três dezenas de "sócios", o que para alguns indiciava a presença do "espírito de Satanás"[3]. É nesse momento que Lucas Evangelista se torna "Lucas da Feira", por conta de suas ações nos caminhos de acesso a Feira de Santana. As várias mortes e os numerosos roubos atribuídos ao bando de Lucas lhe valeriam a alcunha de "demônio negro"; mas o que me interessa, em particular, são os crimes sexuais que lhe são atribuídos, que ocupam um lugar particular em sua trajetória. Isso transparece, por exemplo, no verbete que lhe é dedicado por Clóvis Moura, que afirma: "Lucas não apenas roubava os fazendeiros; também violentava mulheres brancas, afirmando que desse modo estava vingando as centenas de negras estupradas por seus senhores"[4]. Reforçando a imagem preservada pela cultura popular, Moura expõe detalhes acerca de alguns desses crimes; já tratando do processo de dissolução do bando, afirma que, em certo momento, "cheio de desejo sexual por uma jovem branca de 15 anos,

---

2. LIMA, Zélia Jesus de. *Lucas Evangelista*: estudo sobre a rebeldia escrava em Feira de Santana 1807--1849. Dissertação (Mestrado em História). Universidade Federal da Bahia, 1990, p. 123.
3. Ibid., p. 165.
4. MOURA, Clóvis. *Dicionário da escravidão negra no Brasil*, com Soraya Silva Moura. São Paulo: Edusp, 2004. p. 245.

raptou-a e quis forçá-la a fazer sexo com ele. Diante da recusa da jovem, crucificou-a num pé de mandacaru, onde ela faleceu"[5]. No entanto, os registros históricos revelam um cenário muito mais complexo. Zélia Jesus de Lima afirma que Lucas "preferia agredir mulheres não escravas, brancas e mulatas"[6]. A historiadora reconheceu três diferentes categorias de relações afetivas ou sexuais de Lucas, a partir das 11 mulheres descritas nos registros policiais. A primeira categoria tem apenas um nome: Fulô, a escravizada predileta do feitor da fazenda "Saco do Limão", onde Lucas nascera, com a qual ele permaneceu um ano, encerrando a relação por medo de ser capturado. A segunda categoria traz seis mulheres pardas, não escravizadas: raptadas pelo bando de Lucas, quase todas foram por ele estupradas e desvirginadas; em alguns casos, homens que tentaram defendê-las foram assassinados; em pelo menos um caso, Lucas procurou indenizar a virgindade com dinheiro e peças de tecidos, segundo os costumes da época. A terceira categoria traz quatro (ou cinco, a depender da resposta a esta questão: teria o lavrador Francisco Correa tido duas ou três filhas?) mulheres brancas; solteiras, casadas ou amigadas, todas permaneceram um dia sob a posse do bando de Lucas, que as violentou – chegando a desvirginar as duas (ou três) irmãs – e assassinou seus protetores homens.

A tradição cuidou de consolidar a narrativa segundo a qual a violência perpetrada por Lucas da Feira se dirigia particularmente às mulheres brancas, constituindo uma forma de justiçamento. Para Antônio Amaury Corrêa de Araújo, "Lucas queria ter, em relação às moças brancas, os mesmos direitos que os fazendeiros e patrões tinham sobre as escravas"[7]; Sabino de Campos, por sua vez, coloca na boca do quilombola as seguintes palavras:

---

5. Ibid., p. 247.
6. LIMA, Zélia Jesus de. *Lucas Evangelista*: estudo sobre a rebeldia escrava em Feira de Santana 1807--1849, op. cit., p. 139-40.
7. ARAÚJO, Antônio Amaury Corrêa de. *Lampião*: as mulheres e o cangaço. São Paulo: Traço, 1985. p. 22.

> Já que os senhores brancos querem filhos dos negros para aumentar o rebanho, tenho também o direito de mostrar que um filho de africanos, chamado Lucas Evangelista, pode melhorar o gado nas fazendas, servindo-se de novilhas brancas ou mulatas, porque branco, prêto e caboclo, tudo vem a ser a mesma coisa! A prova é a côr do sangue![8]

Trata-se, evidentemente, de uma construção histórica posterior aos fatos; uma projeção que já diz respeito à construção de um perfil específico, desde uma perspectiva que se pretende favorável a Lucas.

Penso, no entanto, que há nisso alguma credibilidade, se esses atos puderem ser entendidos como uma resposta decorrente da "morte social" imposta a Lucas[9]: a partir da compreensão crítica de seu não lugar no âmbito da sociedade escravista, o quilombola teria recorrido ao exercício máximo de poder do qual poderia dispor, enquanto homem negro, ao apropriar-se da sexualidade – e, quando possível, da virgindade mesma – das mulheres livres. Os atos de violência sexual praticados por Lucas da Feira poderiam ser interpretados, nesse sentido, como ações imbuídas de um sentido político; ao assumir uma posição análoga à dos senhores das camadas dominantes, Lucas encontraria condições para inverter a ordem da sociedade escravista, estabelecendo como alvo mulheres não escravizadas. Não obstante, essa compreensão só encontra legitimidade no âmbito particular da dinâmica de poder das sociedades escravistas; tratar-se-ia, nesse caso, da resposta correlativa a um ato de desumanização – por intermédio de uma ação que, em outros contextos, incorre não apenas em anacronismo, mas em um profundo desequilíbrio de poder.

Avanço agora para o contexto pós-abolição. Bem sabemos que o encerramento formal da escravidão não constituiu uma libertação real para as pessoas negras. Não obstante, se a

---

8. CAMPOS, Sabino de. *Lucas, o demônio negro*. Rio de Janeiro: Pongetti, 1957. p. 76. Mantive a grafia do original.
9. PATTERSON, Orlando. *Escravidão e morte social*: um estudo comparativo. Tradução Fábio Duarte Joly. São Paulo: Edusp, 2008.

superação das relações de poder anteriormente vigentes demandou um processo de humanização dos corpos outrora escravizados, isso se deu fundamentalmente por iniciativa de ações políticas de negros e negras, orientadas por concepções de igualdade e liberdade que não se limitavam à abstração – e em franca oposição a perspectivas que encontravam no conceito de raça um instrumento próprio para advogar o rebaixamento ontológico de populações não brancas. Nesse sentido, haveria ainda um horizonte de justificação para um gesto análogo ao de Lucas da Feira?

Desde uma leitura comparativista, penso que podemos encontrar uma resposta no relato de Eldridge Cleaver em *Soul on Ice*, originalmente publicado em 1968 e traduzido no Brasil como *Alma no exílio*[10]. Escrita enquanto Cleaver estava encarcerado na Penitenciária Estadual de Folsom e nitidamente influenciada pela *Autobiografia de Malcolm X*, a obra apresenta um denso autoexame, transparente em uma sentença como: "Tenho perfeita consciência de que estou na prisão, de que sou negro, de que fui estuprador e de que sou diplomado em ignorância"[11]. Cleaver relembra como, num primeiro momento, percebia o estupro como um "ato de insurreição", considerando "de suma importância ter uma atitude hostil e sem compaixão para com as mulheres brancas"[12]; não obstante, para refinar sua técnica e *modus operandi* como estuprador, começou seu treinamento com as mulheres negras. Uma vez preso, Cleaver pôde reexaminar seus atos e compreender seu erro: a tentativa de enfrentar a "lei do homem branco" o levara a desviar-se dos princípios da humanidade civilizada; não era possível, de fato, aprovar o estupro, nem justificá-lo[13]. Vale perceber que as ponderações de Eldridge Cleaver dizem respeito à compreensão da legitimidade da violência a partir de um balizamento ético

---

10. CLEAVER, Eldridge. *Alma no exílio*. Tradução Antônio Edgardo S. da Costa Reis. Rio de Janeiro: Civilização Brasileira, 1971.
11. Ibid., p. 17.
12. Ibid., p. 12.
13. Ibid., p. 14.

sugerido pela ideia de "civilização". Posteriormente, como figura de liderança para os Panteras Negras, Cleaver não deixaria de defender a violência como instrumento fundamental para a destruição da América, identificada à Babilônia[14]; não obstante, a ideia de "guerra total" permanecia delimitada pelos propósitos de um programa partidário que determinava o seu conjunto de alvos. Desse modo, uma luta revolucionária legítima precisa contemplar também a luta pela libertação das mulheres, igualmente oprimidas[15]. Contudo, as palavras de Eldridge Cleaver seriam descontextualizadas, por uma feminista branca, em favor da consolidação de um dos mais poderosos mitos racistas: o do estuprador negro. As pertinentes críticas de Angela Davis ao estudo de Susan Brownmiller sobre o estupro[16] – publicado mais de meia década depois do livro de Cleaver – evidenciam o modo como esta, enquanto pretende defender todas as mulheres, incorre em uma defesa específica das mulheres brancas, desconsiderando os históricos esforços de feministas negras contra o linchamento e reforçando todos os mitos racistas em torno da sexualidade dos homens negros. Davis demonstra como Brownmiller, apelando a uma leitura distorcida acerca do linchamento de Emmett Till e apresentando uma interpretação enviesada dos escritos de Eldridge Cleaver em *Alma no exílio*, parece ter "a intenção de evocar na imaginação de seu público leitor exércitos de homens negros, com seus pênis eretos, correndo a toda velocidade em direção às mulheres brancas ao seu alcance"[17]. Como observa Davis, esse exército inclui não apenas "o fantasma de Emmett Till" e o "estuprador Eldridge Cleaver", mas também Imamu Baraka e mesmo George Jackson, que nunca tentou justificar o estupro

---

14. Id. Método, tempo e revolução. In: SAMYN, Henrique Marques (Org.). *Por uma revolução antirracista*: uma antologia de textos dos Panteras Negras (1968-1971). Tradução Henrique Marques Samyn. Rio de Janeiro: edição do autor, 2018.
15. Id., Message to Sister Erica Huggins of the Black Panther Party. *The Black Panther*, v. 3, n. 11, 5 jul. 1969.
16. BROWNMILLER, Susan. *Against our Will:* Men, Women and Rape. Londres: Penguin, 1975.
17. DAVIS, Angela. *Mulheres, raça e classe* [1981]. Tradução Heci Regina Candiani. São Paulo: Boitempo, 2016. p. 190.

– o que não quer dizer que suas posições deixassem de reproduzir princípios falocêntricos, como observou bell hooks[18].

Angela Davis apresenta essa crítica no importante texto em que demonstra como o mito do estuprador negro foi uma invenção política do contexto pós-abolição[19]. Nos Estados Unidos, a instituição do linchamento se amparou, num primeiro momento, em supostas conspirações negras para matar toda a população branca; quando esses argumentos se revelaram fantasiosos, sua obsolescência deu lugar às acusações de estupro, cujo propósito era defender a feminilidade branca contra os ameaçadores impulsos sexuais dos homens negros. Esse mito não apenas legitimava os linchamentos como também serviu para mitigar o apoio de pessoas brancas à luta por igualdade negra. Não se trata de supor que não tenha havido estupros de mulheres brancas por homens negros, mas de compreender que a desproporcionalidade das acusações se baseava numa mitificação erigida a partir de propósitos políticos definidos.

Retorno, agora, ao contexto brasileiro. Também aqui, no âmbito pós-abolição, há registros de linchamentos de homens negros acusados de estuprarem mulheres brancas; resgato, por ora, apenas alguns relatos, especificamente do Oeste paulista[20]. Em novembro de 1889, 800 pessoas invadiram a cadeia de Araraquara e lincharam dois negros que estavam presos, posteriormente pendurando seus corpos em uma árvore: um era Guilherme Manoel Dias do Nascimento, acusado de raptar uma moça de uma família importante da cidade, cujo linchamento foi organizado por parentes da mulher, a qual possivelmente teria consentido com o "rapto", visando ao casamento; o segundo foi identificado apenas como "Veríssimo", acusado de deflorar uma menina de 3 anos. Após o linchamento, uma multidão de

---

18. HOOKS, bell. Reconstruindo a masculinidade negra. In: *Olhares negros*: raça e representação. Tradução Stephanie Borges. São Paulo: Elefante, 2019.
19. DAVIS, Angela. Estupro, racismo e o mito do estuprador negro. In: *Mulheres, raça e classe*, op. cit.
20. MONSMA, Karl. Linchamentos raciais no pós-abolição: alguns casos excepcionais do Oeste paulista. In: GOMES, Flávio; DOMINGUES, Petrônio (Org.). *Políticas da raça: experiências e legados da abolição e da pós-emancipação no Brasil*. São Paulo: Selo Negro, 2014.

brancos percorreu as ruas de Araraquara, insultando e agredindo todos os negros; logo começaria a circular o boato segundo o qual os negros planejavam atacar a cidade, como forma de vingança contra os linchamentos. Em 1893, o "pardo" Manoelzinho foi acusado de estuprar e assassinar Durcilla Corrêa, cujo corpo foi encontrado entre alguns arbustos, com os seios arrancados; o criminoso foi reconhecido pela menina Chrysalida, cunhada de Durcilla, segundo a qual "um preto completamente nu" arrombara a porta da casa no meio da noite, agarrara a vítima pela garganta e a levara para fora de casa. Embora, em seu relatório, o subdelegado afirmasse que o corpo de Durcilla tinha sido mutilado pelos porcos da fazenda, ele mesmo comparou Manoelzinho a um canibal primitivo, e o noticiário da época o representaria como um necrófilo; Manoelzinho acabou linchado por uma multidão de 1,5 mil pessoas. Petrônio Domingues cita outros casos em Rio Claro e São Carlos do Pinhal[21].

A despeito da escassez de estudos sobre o tema, é difícil crer que esses casos tenham se limitado ao território paulista – sobretudo, quando consideramos que o mito do estuprador negro ainda se faz profundamente presente no imaginário brasileiro. Investigando as relações entre as imagens e os discursos da mídia sobre a violência em geral e a violência policial em particular, Elizabeth Rondelli observou que, quando se trata de linchamentos, se os acusados

> forem negros e seus crimes relacionados à violência sexual, toda a justificativa está oferecida. Repórteres de rádio e de televisão divulgam amplamente a prisão dos suspeitos, revelam à população o local onde estão e os detalhes do crime. Convoca-se, deste modo, a ação de populares, que se sentem no direito de passarem a agir como linchadores.[22]

---

21. DOMINGUES, Petrônio. *Negro, racismo e branqueamento em São Paulo no pós-abolição*. São Paulo: Editora Senac São Paulo, 2019.
22. RONDELLI, Elizabeth. Imagens da violência: práticas discursivas. *Tempo Social*, v. 10, n. 2, p. 145-57, 1998.

De fato, o "exército de estupradores negros", para recuperar a expressão de Angela Davis, nunca abandonou o imaginário branco brasileiro, sempre disposto a resgatar seus mitos acerca da masculinidade negra como uma forma de reforçar os valores racistas e sustentar o ordenamento supremacista. Em 2014, o jovem negro Alailton Ferreira foi espancado com pedras e pedaços de madeira e ferro, sem que os linchadores sequer soubessem por que o faziam; especulavam que ele tivesse tentado abusar de uma criança ou estuprar uma mulher[23]. Em 2016, mensagens compartilhadas em redes sociais acusaram o serralheiro negro Carlos Luiz Batista de sequestrar e estuprar crianças, o que o obrigou a isolar-se em casa para preservar a própria vida[24]. Em Belo Horizonte, em setembro de 2019, um homem negro, morador de rua, foi assassinado com três tiros na cabeça e teve os dois olhos perfurados, em decorrência de boatos nas redes que o confundiram com um suposto estuprador[25]. Colhidos entre incontáveis exemplos, esses casos demonstram como o vínculo entre violência sexual e virilidade negra permanece presente na sociedade brasileira, operando como princípio legitimador para a opressão racista. Associada a impulsos incontroláveis, indissociáveis de sua "natureza" essencial, a sexualidade do homem negro é uma expressão concreta de sua periculosidade, demandando formas rigorosas de controle que possam preservar os ícones máximos da virtude – em particular, as mulheres brancas tidas como socialmente "respeitáveis", em decorrência do lugar social que ocupam.

Mais grave, contudo, é perceber como os próprios homens negros sustentam essa mitificação, alimentando frequentemente

---

23. BORGES, Beatriz. A epidemia da justiça popular. *El País*, 12. abr. 2014. Disponível em: https://brasil.elpais.com/brasil/2014/04/12/sociedad/1397338644_514132.html. Acesso em: 18 mar. 2021.
24. ZUAZO, Pedro. Vítima de boato em redes sociais, homem tem medo de sair de casa. *Extra*, 4. out. 2016. Disponível em: https://extra.globo.com/casos-de-policia/vitima-de-boato-em-redes-sociais-homem-tem-medo-de-sair-de-casa-rv1-1-20227314.html. Acesso em: 18 mar. 2021.
25. CAMILO, José Vítor. Morador de rua é confundido com suposto estuprador, tem os olhos perfurados e acaba morto. *Hoje em Dia*, 27 set. 2019. Disponível em: https://www.hojeemdia.com.br/horizontes/morador-de-rua-%C3%A9-confundido-com-suposto-estuprador-tem-os-olhos-perfurados-e-acaba-morto-1.745697 . Acesso em: 18 mar. 2021.

discursos que associam a masculinidade negra à dominação por meio da violência. Trago alguns exemplos envolvendo figuras notórias associadas ao funk e ao rap, expressões culturais historicamente ligadas ao povo negro. Não por acaso, o ator pornográfico Clóvis Basílio dos Santos, conhecido pelo nome artístico "Kid Bengala" – que lhe permitiu alcançar uma posição central no imaginário brasileiro como representação do homem negro superdotado e hiperpotente – optou pelo rap para iniciar sua carreira musical. Em seu primeiro *single*, "Trepi$ta", Kid Bengala canta versos em que compara o próprio pênis a uma arma de fogo:

> Agora sou trapstar/ Vim pra fuder a cena/ Transando e fazendo trap/ Isso pra mim não é problema/ [...]/ Que mulher safada/ Vai jogando a raba/ Desse jeito a minha gang se acaba/ Tô de glock na cintura/ Do jeito que elas gosta/ Se sua gangue brotar/ Vai levar tiro na hora/ Eu sempre tô armado/ O pente tá alongado/ Se é que você me entende/ Eu sou uma arma.

A exaltação da hipervirilidade também subjaz à obra de Mr. Catra, um dos mais importantes nomes da história do funk, autor de músicas como "Negolossauro Rex" ("O bonde dos africanos/ os bruto não vacila/ instinto de leão, pegada de gorila") e "Vem kikando" ("Vou te dar um papo reto/ Não sofra decepção/ Quica no colo do africano, tá ligado/ É só negão/ E o bagulho é muito doido/ O papo é muito interessante/ É difícil ver negão que não tem um.../ Gigante"); bem como à *performance* de outros funkeiros negros, como MC Diguinho, cuja música "Surubinha de leve" alcançou grande visibilidade na mídia após ser acusada, por diversos coletivos feministas, de exaltar o estupro, por conta dos versos "Só surubinha de leve/ só surubinha de leve/ Com essas filha da puta/ Taca a bebida, depois taca a pica/ E abandona na rua".

Um caso particularmente representativo para a discussão aqui proposta ocorreu em 2018, quando as *rappers* brancas Lívia

Cruz e Bárbara Sweet publicaram um vídeo em que pretendiam "objetificar" alguns homens *rappers*, como forma de emular criticamente a "objetificação" de corpos femininos. Ao tratar dos *rappers* negros DK e Lorde, afirmaram: "Ele é aquele cara que você vai encontrar saindo do camburão e você não sabe se entrega o telefone ou se tira a calcinha. [...] Nossa senhora, ele vai me roubar, ele vai me comer?"[26]. Quando feministas negras se manifestaram nas redes, denunciando o racismo imbuído no vídeo – entre elas, Djamila Ribeiro, Stephanie Ribeiro e Monique Evelle –, o *rapper* negro Emicida as confrontou, declarando-se "antilinchamento" e afirmando: "Gaste sua energia com coisas produtivas. Torça pela paz, pela alegria e pelo amor (e pelas moças bonitas!)". Em resposta, Djamila Ribeiro[27] não apenas enfatizou que a crítica ao racismo não poderia ser comparada a um "linchamento" como também destacou que a própria defesa das "moças bonitas" – ou seja: as *rappers* brancas – reproduzia uma lógica racista.

É crucial, portanto, atentar para o fato de que a relação entre a construção da masculinidade negra, a afirmação da virilidade e a violência sexual se inscreve no âmbito de dinâmicas de poder complexas, que demandam uma leitura crítica. Se o eventual recurso à violência pelo quilombola Lucas da Feira encontra possibilidades de legitimação a partir das condições particulares do âmbito colonial, especificamente enquanto resposta à desumanização própria da ordem escravista, o cenário pós-abolição institui dinâmicas de poder diversas, nas quais a luta dos movimentos negros se orienta para a construção de uma igualdade não abstrata; nesse cenário, a associação entre a masculinidade negra e a violência sexual se configura precisamente enquanto um

---

26. RAMOS, Aline. Os comentários racistas destas rappers levantaram um debate sobre racismo no feminismo. *BuzzFeed*, 1 fev. 2018. Disponível em: https://www.buzzfeed.com/br/ramosaline/rappers-racismo-feminismo. Acesso em: 18 mar. 2021.
27. RIBEIRO, Djamila. post no Facebook, 2 fev. 2018. Disponível em: https://www.facebook.com/photo.php?fbid=1868364836530399. Acesso em: 18 mar. 2021.

instrumento em favor de lógicas racistas – sobretudo, por intermédio do mito do negro estuprador. Não obstante, se essa crítica vem sendo veementemente sustentada por feministas negras, homens negros comumente insistem em *performances* que, ao valorizar atributos como a potência sexual e a "pegada", recuperam um conjunto de associações que fundamenta a criminalização da própria masculinidade negra – fomentando, desse modo, políticas genocidas que demandam um enfrentamento urgente. Permanece, portanto, fundamental o alerta de bell hooks: "a misoginia só vai deixar de ser a norma na vida negra quando os homens negros ousarem coletivamente se opor ao machismo"[28].

---

28. HOOKS, bell. Reconstruindo a masculinidade negra, op. cit., p. 207.

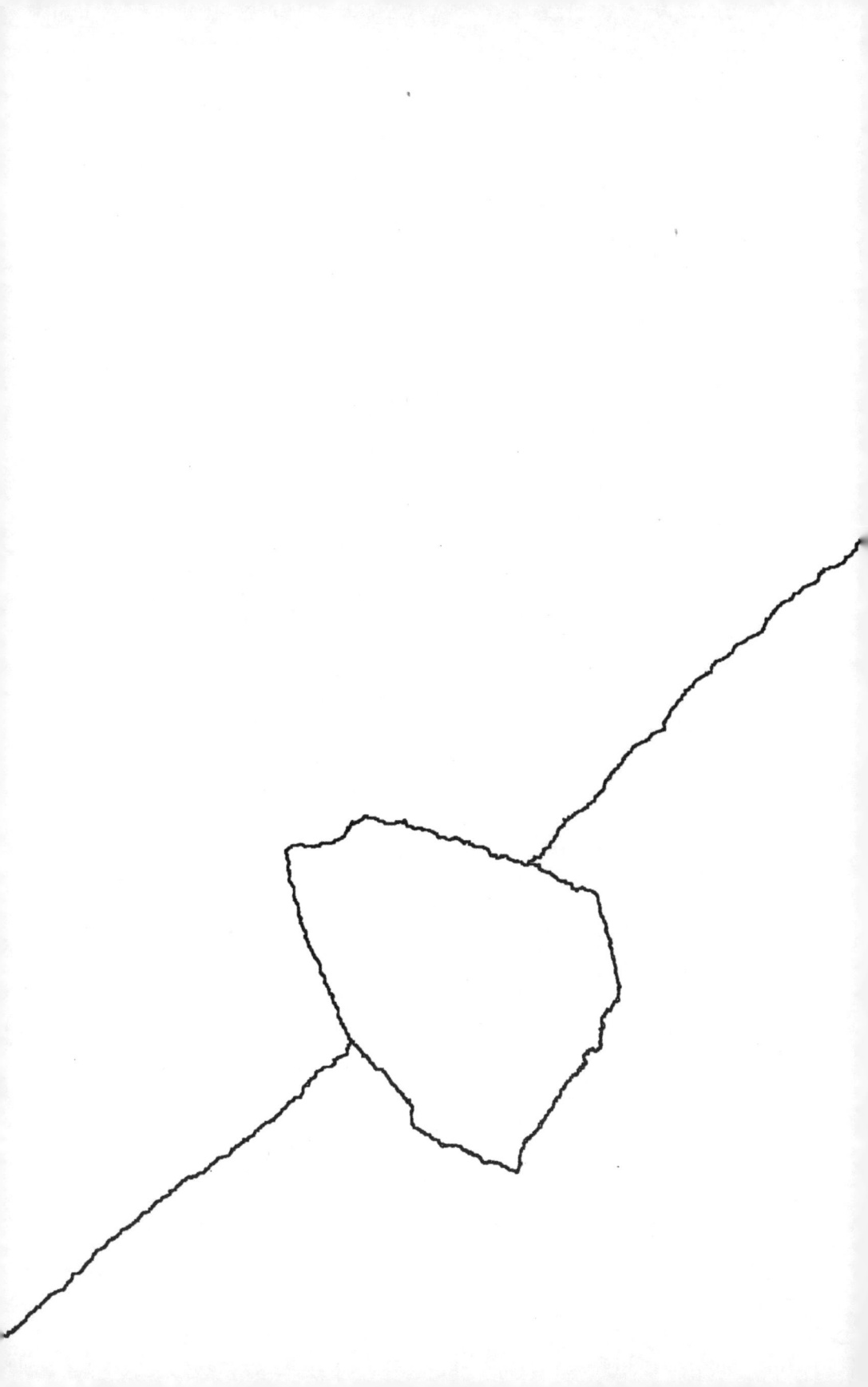

Amana Rocha Mattos é psicóloga, doutora em psicologia e professora associada do Instituto de Psicologia e do programa de pós-graduação em Psicologia Social da Universidade do Estado do Rio de Janeiro (UERJ). Coordena o DEGENERA – Núcleo de Pesquisa e Desconstrução de Gêneros.

Ana Paula da Silva é doutora em Antropologia Cultural pela Universidade Federal do Rio de Janeiro (UFRJ) e pós-doutora pela Universidade de São Paulo (USP). É professora adjunta da Universidade Federal Fluminense (UFF), faz parte do quadro permanente de docentes do Mestrado em Justiça e Segurança (PPGJS/UFF) (pesquisadora do projeto de extensão Observatório da Prostituição (OP). Participa dos comitês de Gênero e Sexualidade, Antropólogos Negras/os e Comissão de DHs da Associação Brasileira de Antropologia (ABA).

Bárbara V. é bacharel em Ciências Sociais pela Universidade Federal Fluminense (UFF), feminista, militante pelo direito das trabalhadoras sexuais e pela inclusão de pessoas trans.

Camila Fernandes realiza pós-doutorado no programa de Antropologia Social do Museu Nacional (PPGAS/MN/UFRJ), instituição na qual também concluiu seu doutorado. É mestra em Antropologia pela Universidade Federal Fluminense (UFF). Pesquisadora associada ao NUSEX – Núcleo de Estudos em Corpos, Gênero e Sexualidades e ao laboratório de formação @feminismosnadiferença.

Geórgia Grube Marcinik possui graduação em Psicologia, especialização em Gênero e Sexualidade e mestrado em Psicologia Social pela Universidade do Estado do Rio de Janeiro (UERJ). Atualmente, é doutoranda em Psicologia Social na mesma instituição e pesquisadora do DEGENERA – Núcleo de Pesquisa e Desconstrução de Gêneros. Coordena o GEBRA – Grupo de Estudos sobre Branquitude.

Heloisa Melino é coordenadora executiva do projeto Pessoas LGBTQIA+ em Privação de Liberdade na Universidade Internacional das Periferias (UNIperiferias – IMJA). É ativista feminista lésbica, graduada em Direito pela Faculdade Nacional de Direito da Universidade Federal do Rio de Janeiro (FND-UFRJ), especialista em Políticas de Planejamento Urbano pelo Instituto de Pesquisa em Planejamento Urbano (IPPUR-UFRJ), mestra e doutora em Teorias Jurídicas Contemporâneas pela UFRJ.

Henrique Marques Samyn é professor associado do Instituto de Letras da Universidade do Estado do Rio de Janeiro (UERJ). Coordena o premiado projeto de extensão LetrasPretas, voltado ao estudo e à divulgação da produção literária, cultural e intelectual de autoria negra e feminina, desenvolvido com estudantes negras e cotistas da UERJ. Organizou e traduziu *Por uma revolução antirracista: uma antologia de textos dos Panteras Negras (1968-1971)*. Integra a equipe do Gabinete em Estudos de Gênero da Universidade de Lisboa.

Lina Arao é doutora em Literatura Comparada pela Universidade Federal do Rio de Janeiro (UFRJ). Suas pesquisas mais recentes abordam a literatura de autoria feminina a partir do viés da ginocrítica. É professora de língua portuguesa nas redes municipais do Rio de Janeiro e de Niterói. Integra a equipe do Gabinete em Estudos de Gênero da Universidade de Lisboa.

Marine Bataglin Marini é graduanda em psicologia pela Universidade Federal do Rio Grande do Sul (UFRGS) e bolsista de iniciação científica do Núcleo de Pesquisa em Sexualidade e Relações de Gênero (NUPSEX).

Raquel Basilone Ribeiro de Ávila, bacharel e licenciada em Ciências Sociais pela UEL/PR e mestranda em Psicologia Social e Institucional na Universidade Federal do Rio Grande do Sul (UFRGS), sendo pesquisadora do NUPSEX/UFRGS. Além do meio acadêmico, está presente no movimento social, já tendo atuado na organização e docência de sociologia no TransEnem Poa, sendo atualmente militante do nuances – Grupo pela Livre Expressão Sexual, organização na qual ocupa a cadeira de conselheira titular no Conselho Estadual de Direitos Humanos do Rio Grande do Sul (CEDH-RS).

Sara Macêdo, de etnia cigana e kalin, é mestranda em Direito Agrário pela Universidade Federal de Goiás (UFG), integrante do coletivo de advogadas e advogados populares Luiz Gama, do Observatório da Justiça Agrária da UFG, ativista no movimento de povos tradicionais e ecossocialista.

Sofia Favero é psicóloga e doutoranda em Psicologia Social e Institucional pela Universidade Federal do Rio Grande do Sul (UFRGS). Faz parte da Associação e Movimento Sergipano de Transexuais e Travestis, e é integrante do Núcleo de Pesquisa em Sexualidade e Relações de Gênero (NUPSEX).

Vanessa Figueiredo Lima é doutoranda e mestre em Saúde Pública pela Escola Nacional de Saúde Pública da Fundação Oswaldo Cruz (ENSP-Fiocruz). Advogada, membro da Comissão de Direitos Humanos e Assistência Judiciária da Ordem dos Advogados do Brasil (OAB). Atua pelos direitos das pessoas privadas de liberdade, pessoas em situação de rua, trabalhadoras sexuais e vítimas de violência doméstica, bem como pelos direitos LGBT+ e à saúde.

Yasmim Pereira Yonekura é graduada em Letras pela Universidade do Estado do Pará (UEPA), onde também atuou como bolsista, pelo departamento de Língua e Literatura (DLLT), no programa de monitoria. Mestra em Inglês, com bolsa da Coordenação de Aperfeiçoamento de Pessoal de Nível Superior (CAPES), pela Universidade Federal de Santa Catarina (UFSC), onde atualmente é doutoranda. Trabalha com crianças no Colégio de Aplicação da UFSC, como servidora técnico-administrativa educacional.

Yonghui Q. (ele/dele) é uma pessoa trans não binária e formado em Psicologia pela Universidade do Estado do Rio de Janeiro (UERJ). Foi bolsista de iniciação científica pela mesma instituição e pesquisa Migração, Relações Étnico-Raciais e Processos de Racialização e de Subjetivação da Diáspora Chinesa. Participou do voluntariado na área de Saúde Mental do Programa de Atendimento a Refugiados e Solicitantes de Refúgio (Pares) da Cáritas RJ.

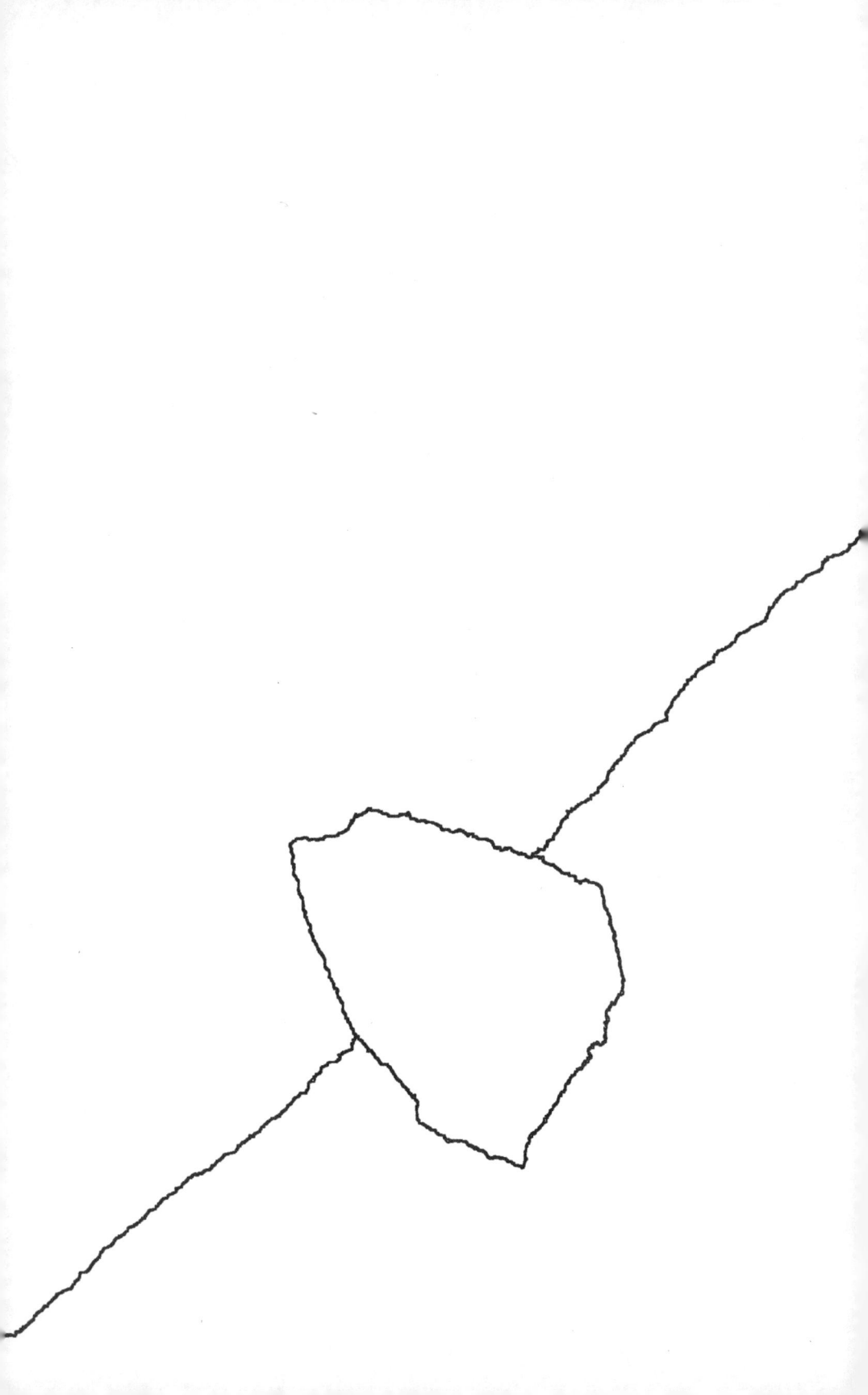

Impresso em maio de 2021 na Gráfica
Loyola em papel Pólen Soft 80g.